纽伯瑞国际大奖小说集

Rabbit Hill
兔子坡

[美]罗伯特·罗素/著　黄 璇/译

山东科学技术出版社
·济南·

图书在版编目（CIP）数据

兔子坡 /（美）罗伯特·罗素著；黄璇译．-- 济南：山东科学技术出版社，2018.3（2024.5 重印）
（纽伯瑞国际大奖小说集）
ISBN 978-7-5331-9158-0

Ⅰ．①兔…　Ⅱ．①罗…　②黄…　Ⅲ．①童话－美国－现代　Ⅳ．①I712.88

中国版本图书馆 CIP 数据核字（2017）第 300023 号

纽伯瑞国际大奖小说集
兔子坡
NIUBORUI GUOJI DAJIANG XIAOSHUO JI
TUZIPO

责任编辑：董小眉
装帧设计：艺唐广告

主管单位：山东出版传媒股份有限公司
出 版 者：山东科学技术出版社
地址：济南市市中区舜耕路 517 号
邮编：250003　电话：（0531）82098088
网址：www.lkj.com.cn
电子邮件：sdkj@sdcbcm.com
发 行 者：山东科学技术出版社
地址：济南市市中区舜耕路 517 号
邮编：250003　电话：（0531）82098067
印 刷 者：湖北鑫光印务股份有限公司
地址：湖北省云梦经济开发区三湖大道 13 号
邮编：430070　电话：（0712）4084888

规格：16 开（155 mm × 220 mm）
印张：10　　字数：200 千
版次：2018 年 3 月第 1 版　印次：2024 年 5 月第 3 次印刷
定价：19.80 元

前　言

纽伯瑞儿童文学奖简称纽伯瑞奖，该奖项是由美国儿童图书馆服务协会 (Association for Library Service to Children，ALSC) 为纪念英国儿童文学作家和出版家——纽伯瑞而设立的。

纽伯瑞出生于1713年，他出版了世界上第一本儿童书——《美丽小书》，开办了世界上第一家专门的儿童图书印刷厂、世界上第一家专门的儿童书店。他出版发行的儿童文学书籍深受孩子们的喜欢，他由此开辟出了一条英美儿童文学之路，因此后世称之为“儿童文学之父”。

以纽伯瑞命名的纽伯瑞奖，1922年创办，每年评选和颁发一次，奖励前一个年度出版的优秀英语儿童文学作品，一直延续至今。纽伯瑞奖历史悠久，对美国乃至世界的儿童文学都影响深远。该奖项获奖要求之严格，获奖作品水准之高超，均是有目共睹、众所周知的。纽伯瑞奖获奖作品题材广博，不仅针对儿童的各种心理，诸如恐惧、忧愁、悲伤等做出开解，还蕴含了对全人类和大自然悲天悯人的关怀。因此历年来获得纽伯瑞奖的优秀作品，被每个美国家庭收藏，成为每个美国青少年的必读书目。

正因为纽伯瑞奖的权威性和经典性，我们特从获奖作品中选取了八本历年来畅销不衰、深受小读者们喜爱的作品，旨在帮助更多的青少年阅读到经典的优秀儿童文学作品，从中感悟到人性的光芒和力量。

该八本经典文学作品分别是《彩虹鸽》《牧牛小马斯摩奇》《胡桃木小姐》《草原上的小木屋》《吹号手的诺言》《杜立德医生航海记》《木头娃娃历险记》和《兔子坡》。

其中，《彩虹鸽》讲述了一只脖颈处有着彩虹一样绚丽颜色的鸽子充满传奇的一生，处处流露出作者对生命和大自然的关爱；《牧牛小马斯摩奇》则讲述了一匹名叫斯摩奇的野马跌宕起伏的一生，从性格开朗到暴虐，之后变得逆来顺受，最后再次被主人的关爱激活，重新找回快乐，该书悬念迭出的故事情节定会让青少年爱不释手；《杜立德医生航海记》讲述了精通动物语言的杜立德医生传奇的航海故事，该书想象力丰富，故事情节跌宕起伏，一直备受青少年喜爱……

该八本书每一本都精彩纷呈，不再一一赘述。期待小读者们能自己拿起这套书，亲自去发现里面的丰富和传奇；也盼望着这套书能成为小读者们人生路上的启发者，帮助小读者们拥有向上和向善的力量！

纽伯瑞国际大奖小说集

目录

献给

喜欢小乔治的T。

第一章
兔子坡的好消息

兔子坡是个热闹的地方，那里住着很多动物，当然是以兔子居多，还有鼹鼠、小田鼠、土拨鼠、狐狸等等。这一天，一个好消息让兔子坡炸开了锅，所有的动物都在讨论着这个好消息，那就是“新人家要来啦”！

大家全都在嘀咕或者大声嚷嚷着：“新人家要来了！”

这句话一遍一遍在整个兔子坡上回荡。

“爸爸，妈妈，好消息，好消息！”

小兔子乔治一听到这个消息就立马飞奔回家，他也不顾自己已经跑得气喘吁吁的，边跑边喊，还差点被石头绊倒。

爸爸妈妈在家里听到了小兔子的喊叫后，觉得莫名其妙。

“这孩子，总是这么慌慌张张的，这该如何是好啊？什么时候才能长大一些呀！”

兔妈妈忧心忡忡地说道。

“唉，咱们兔子坡上很久都没有什么好消息了。自从那户好人家搬走了以后……”

兔爸爸嘟囔着。

这时，小兔子乔治冲到了妈妈的厨房里，看见妈妈正在熬汤，爸爸则在一旁打下手。

“妈妈，妈妈，好消息，好消息！”

“什么好消息？你都叫了一路了！”

兔妈妈不耐烦地说道。

“听好啦！我们要来新人家了！”

小兔子乔治得意地大叫道。

“哦，新人家……新人家！他们来得可真是时候，哎呀，但愿这位新来的人家是个勤劳的人，可别再像前面那位一样好吃懒做，让我们的日子也跟着过得紧巴巴的。”

“你们看看，前面那户人家在这里住的几年，连个像样的菜园都没有，一到冬天那日子就更难熬了，唉，真不知道我们这些年是怎么熬过来的。”

“新人家要来了，谁知道是不是好消息呢？他们要是不是勤劳而是游手好闲的话，我们这日子就更难过了。现在这食物是越来越少，新鲜的蔬菜几乎都快要绝迹了，除了十字路口的那家胖男人的店，已经没有别的地方能够弄到蔬菜了。”

“再说那个胖男人店里的菜也不是轻易就能弄到手的，他养的那群看门狗你们也都领教过，个个都是身手矫捷的，总之啊，我们每天都是在冒着生命的危险弄蔬菜！”

“唉，真不知道，我真不知道……”

没想到兔妈妈一下子说了这么一大通，真是个爱操心的兔妈妈啊！

“你这样的情绪会传染给孩子们的，凡事都要朝好的一面去想一想，试着乐观一些，亲爱的！”

兔爸爸非常绅士，他在一旁安慰兔妈妈：“乔治这个消息的确是个好消息，反正再坏也不会比现在坏了。不过我看我还是去外面打听打听这个消息的真伪，看看大家都是怎么说的，亲自去确定一下。”

说完，他就拿上他的拐杖出门了。

“爸爸，我和你一起去吧！”

没等兔爸爸同意，小兔子乔治就跟在了爸爸的屁股后面。

他们从兔子洞里穿到了那所旧房子附近。

“唉，乔治，你看看这房子，多么旧了啊！”兔爸爸指着那栋房子对小乔治说道。

的确如此，由于长时间没人居住，这房子的墙砖都变了颜色，房子的百叶窗破破烂烂的，屋顶的木瓦由于风吹日晒也翘了起来，看起来十分破败，再加上房子前面的空地上长满了杂草，风一吹过就哗啦啦直响，那声音听起来阴森恐怖。

这根本就不该属于这春意盎然的季节。但正因为没人居住，到处都是一片荒凉和萧条，让这栋房子成了大家都不敢过来的地方。

“唉，看到这样真是心疼啊！想想当初，这里的草坪上都长满了可口的青草，还有三叶草。那时候那户人家很勤劳，所以田里的蔬菜根本都吃不完。那时候你还小，不过正是那些蔬菜把你和兄弟们都养得白白胖胖的！”兔爸爸叹了一口气说道。回忆这些往事让兔爸爸又高兴又难过。

“我还记得那户好人家的孩子们也非常好，我们小时候经常和他们一起捉迷藏，虽然他们家里有一只老猎狗，不过那只老猎狗也从来不伤害我们，只是会偶尔和土拨鼠斗斗嘴。我还记得有时候那些小黄鼠狼会藏在他们妈妈的后面，一个个探出头来，把那些孩子逗得哈哈大笑。”

小兔子乔治也回忆道。

“是的，那家人是很好，就连他们的狗都是条好狗。我还记得有一次那条猎狗捡到了一只迷路的小狐狸，她还将小狐狸带回家后亲自给他喂奶，把小狐狸当成自己的孩子一样对待。真是让人感动啊！”

兔爸爸说道。

“多美好的生活！”

小乔治也附和道。

“唉，那种日子如果能一直持续就好了。可惜等他们搬走后，我们的好日子就一去不复返了！你看看，这好好的地，他们不种庄稼，全让这些地长上了杂草，唉，我们也再也没有新鲜可口的蔬菜可吃了！”

兔爸爸叹息着说道。

兔爸爸带着小乔治环顾四周，来到了工具房附近。他们以前在工具房总能找到些吃的，不过自从那户人家搬走后，这里的工具房也渐渐荒废了，小动物们已经将这里所有的食物，比如种子呀，鸡饲料啊，全都搜刮干净，一粒都不剩了。

这时，兔爸爸听到了一阵响声，回头一看，原来是土拨鼠波琪正在草地上翻动那些草皮。

“波琪，你好啊！”

兔爸爸热情地和土拨鼠打着招呼。

“不好，不好啊！”

土拨鼠边翻地边嘟嘟囔囔道。

的确，波琪以前胖乎乎的，走路摇摇摆摆，皮毛也油亮光滑，可现在你看他，瘦成了皮包骨一般，仿佛一阵风都能将他吹倒；而且他那引以为豪的皮毛也被虫子咬得破破烂烂的，完全没有了以前的光泽。

“经过一段漫长的冬眠，你看上去瘦了很多。身体还好吗？”

兔爸爸关切地问道。

“总体来讲，身体还行，就是身上的肉全掉光了。唉，这日子不好过啊，找不到半点吃的。我刚刚从冬眠中醒过来，再不找点吃的，我肯定会饿死的！不过你们看这草地，什么都没有，连一片三叶草都见不着，唉……”

土拨鼠波琪边找着草，边嘟嘟囔囔地说道。

“可不就是的，自从那户好人家走了后，咱们的日子可以说是每况愈下呀！”

兔爸爸对波琪说道。

“就是，之前那户人家，实在太懒了，什么东西都不种，什么活儿也不干。一切都是乱糟糟的，害得我们的生活也很困难。不过好在他终于走了，终于走了！而且，我

还听说新人家要来了呢！”

土拨鼠波琪边吃野草边说道。

“嗯，我也听说了这个消息，到处都在传这件事情，不知道是不是真的呢？波琪，你认为呢？”

兔爸爸询问道。

“肯定是真的，不用怀疑。前几天，我听说有个搞房地产的人带着几个人来过这里，在这附近转了好久，而且之后那个木匠也来了，在那个家里这儿看看，那儿看看，这儿戳戳，那儿戳戳。过了几天后那个泥工也来了，他也在那个家里到处看，还用脚踢了踢墙和楼梯。你觉得他们是不是在看这房子的质量？”

土拨鼠波琪说道。

“应该是的，他们应该是看这房子还能不能住。”

兔爸爸回答说。

“不止这些啊，我还听说住在岔路口的蒂姆也来过这儿。蒂姆，你知道吧？”

“知道，知道，蒂姆整天在犁地种菜，是个勤劳的庄稼汉。”

“是的，就是他，他来到这里之后，在这家的菜园里到处看，而且还在那儿比画。”

波琪说道。

“看样子这次来的人，应该也是个勤劳的庄稼汉。如果真是这样那就太好了，我们又有新鲜可口的蔬菜吃了。想想那些美味的胡萝卜，哦，终于会有一片和肯塔基蓝草媲美的田园了。”

因为兔爸爸是从肯塔基州搬过来的，所以他总是心心念念肯塔基的蓝草。

“肯塔基蓝草在这儿肯定长不好，这儿是康涅狄格州，水土不一样，在这里能长满三叶草和狗尾巴草我就心满意足了。唉，如果能长满那些草，然后再有一个菜园，那生活简直太完美了！”

波琪说着说着，看着眼前这萧条的景象，不禁哭了起来。

看到波琪如此伤心难过地哭了起来，兔爸爸心里也不好受。

的确如此，这些年大家的日子确实很难过，简直可以用步履维艰来形容，很多朋友都离开了这里，寻找到了别的安身之所。

不仅如此，他们兔子的下一代也都在别处安了家，没有人继续留在这没有希望的田野上。他的妻子也因为营养不足脸色苍白。

“好啦，别担心，好日子马上就要来了。”

兔爸爸安慰波琪道。

说完，兔爸爸叫上小乔治离开这里，到附近再转转，看看能不能再打听到些消息。

兔爸爸和小乔治来到了树林中继续打探着消息。这时，他遇到迎面而来的狐狸先生。狐狸先生热情地和兔爸爸打着招呼：

“晚上好，兔子先生！”

“也祝您晚上好，狐狸先生！”

兔爸爸热情地回应道。

“您听说了吗，新人家要来啊！”

狐狸先生小声地问道。

“是啊，这几天到处都在说这个消息。这真是件让人高兴的事儿！”

兔爸爸笑眯眯地说道。

“对了，我得谢谢您，昨天早上您帮了我大忙了，要不然我肯定会被那帮猎狗给追上咬死。唉，我也是没办法，这附近没吃的，我只得到很远的地方才能抓到一只母鸡，那只老母鸡好重，再加上猎狗在后面追，我实在是累得筋疲力尽了。要不是您的话，我今天都不在这世上了。您对付那些猎狗可真是有一套！”

狐狸先生边说边竖起了大拇指。

“区区小事何足挂齿呢！大家都是邻居，互帮互助本就是应该的。再说，我最喜欢和猎狗赛跑了，我这本领可是从小就练出来了。”

兔爸爸说道。

“那您能不能讲讲您是如何甩掉他们的？”

狐狸先生好奇地问道。

“没什么，就是把他们带到了山谷里，让他们撞上人类装的电网，那些猎狗一个个愚不可及，毫不犹疑地往上面撞。哎呀，简直就不值得一提！”

兔爸爸骄傲地说道。

“兔子先生，您真是太厉害了，实在是太感谢您了！”

狐狸先生说道。

“没关系的，你去忙吧，我再到附近看看！”

兔爸爸说道。

于是狐狸先生离开了。

“走吧，小乔治，咱们再到这附近转转，看看还能不能打听到一些消息。”

父子俩正在到处逛的时候，遇到了灰松鼠。

只见灰松鼠正在地上找着什么东西。

“灰松鼠，晚上好！你在找什么呢？”

兔爸爸好奇地问道。

“哦，兔子先生您好，我忘了自己把松果藏在哪里了，所以在到处找。”

灰松鼠解释道。

“你这记性可是大不如前了！”

兔爸爸笑着说道。

“唉，我这记性一直都是这样，从来就没好过，总是记不得把东西放在哪里了。不过以前的那些事我倒是记得清清楚楚。我记得，那时候那户好人家还在，他们的孩子还帮我们修剪过圣诞树呢，并且，还在上面挂满了小灯和我们爱吃的胡萝卜、卷心菜叶、芹菜、松果等等。真是美好！好怀念那个时候啊！”

灰松鼠满脸笑容地回忆道。

“是啊，我也记得，那段日子可真是美好，我相信我们这里的每个小动物都记得这一段往事。哦，但愿新人家的到来也能让我们再一次感受到这种美好！”

兔爸爸说道。

“什么，新人家?!”

灰松鼠惊讶地问道。

“你没听说吗？据说有新人家要来！”

兔爸爸微笑着说道。

“是吗？有新人家要来?！那简直太棒了，唉，我每天忙着找我的松果，都没听说过这个大好消息！如果这是真的，那估计我们的好日子要来喽！”

于是，灰松鼠开心地继续寻找着松果，高兴得都唱了起来。

正在兔爸爸和灰松鼠聊天时，关于新人家的消息也在另一边的田野上传开了。

“嘿，鼹鼠，你听说了吗？有个好消息！”

小田鼠威利故意嚷嚷道。

“到底是什么好消息，你倒是快说啊！”

鼹鼠很着急，他的眼睛看不见东西，只能靠声音来感知周围的事物。

“天大的好消息！每个人都在谈论，哈哈。”

小田鼠继续卖关子。

这时，鼹鼠急坏了，他的尖鼻子不断地抽动，气呼呼地说道：

“你再不说我就生气了！”

“好啦，好啦，别生气！”

威利大笑道：“我们要来新人家了！新人家要来了！他要搬进那栋大房子里，哈哈，还有啊，大家都说那个新人家会是个勤劳的庄稼汉！高兴吗？”

“这可真是个好消息，看来我们以后又会有好吃的了，想想都高兴！”

鼹鼠笑眯眯地说道。

“那是，那些掉进了地缝中的种子和鸡饲料都能让我们吃得饱饱的。不仅如此，你想想，到了冬天的时候，地窖里的暖气还会让我们也暖暖的。还有，说不定他们还会种些郁金香呢，只要一想到又能吃上郁金香那又香又脆的球茎，我都高兴得整晚睡不着！”

“你这家伙，还是想着你的球茎。又指望我来给你挖土，可以方便你吃到球茎。我挖土，你吃球茎。这好事上哪儿找去？”

鼹鼠笑着说道。

“你这么说我真是太难过了，咱俩是好哥们，而且我总是将外面听来的消息一五一十地告诉你，还做你的眼睛，告诉你前面是什么东西，是什么颜色，大小是多少，你怎么能这样说呢？”

田鼠威利哭着说道。

“好啦，不要这么敏感嘛，开个玩笑。没你我还真不行，要不然我早就被人类抓住，或者毒死了。”

鼹鼠急忙解释道。

“就是这样的！”

威利骄傲地说。

“好啦，我要去找晚饭了，现在的晚饭可不好找啊，虫子越来越少了！”

说完，鼹鼠就钻进了土里。

在松树林的旁边，新人家要来了的消息也在这边传开了。

黄鼠狼大飞和红鹿正聊着天。

“听说有新人家要来！”

大飞说道。

“哈哈，我也听说了，但愿他能早点来吧。唉，这日子可真是不好熬。不过，我虽然觉得很难，但还是可以跑到别的地方弄些吃喝，那些兔子坡的小东西更可怜。想想当初，能在那一片菜园里吃上可口的番茄和生菜，简直就像天堂般。”

红鹿说道。

“对我而言，我更期待他们的垃圾，想到那些可口的垃圾，我就流口水！”

大飞吞了口唾沫说道。

“大飞，嘿，好伙计，你能不能提高下品味？这也太恶心了！”

红鹿一脸嫌弃地说。

“哼，你根本不了解，垃圾也有好坏之分，有些坏垃圾，连‘垃圾’都不配叫，而那些好垃圾，则是人间美味，到哪儿都找不着的！”

大飞解释道。

“算了，咱们还是不要再谈论垃圾了。我想比起垃圾来，你肯定希望能吃上活鸡活鸭吧？”

“鸡还不错，童子鸡更美味。鸭子也可以，不过比起垃圾来……”

“哦，天啊，风向不对，我闻到了危险的气味。我先走了！”

没等大飞说完，红鹿就飞快地离开了这里。

不仅在地面上这个消息传遍了各个角落，而且在地底的世界，这个消息也传开了。

地底下温度还有些低，毛毛虫爷爷苏醒过来正在舒展身体，他发出了滋滋的响声，这声音也唤醒了正在冬眠的小毛毛虫们。

“小家伙们，快醒过来吧！新人家要来啦！”

毛毛虫爷爷的这个消息在懒洋洋的毛毛虫之间传开了。他们伸了伸懒腰，活动了一下身体，准备穿过湿漉漉、黏糊糊的泥土，爬到地面上，要是能赶上吃到蔬菜的嫩芽就更美妙了。

总而言之，新人家要来了的消息传遍了兔子坡，到处都能看到小动物们交头接耳地议论这件事，不管是松树林中、灌木丛中，还是洞穴里，所有的小动物都在重复一句话：“新人家要来了！”

第二章
兔妈妈的主意

虽然兔子坡上的动物们都在为新人家要来了的这个消息兴奋不已，他们整天都在谈论这一件事，但还是有一少部分小动物担心不已，而其中则以小乔治的兔妈妈为代表。

兔妈妈本来就是个爱操心的人，只要有点风吹草动她都会担心很久。

现在新人家要来的消息打破了兔子坡的宁静，让兔妈妈十分忧愁。

她每天在家里唠叨：

“哎呀，这可怎么办啦，新人家来了不是什么好事情，他们可能会养狗养猫，那些动物都非常凶，说不定还有个爱捣蛋的小鬼头，不仅如此，他们可能还有猎枪、步枪和炸药之类的，然后还会挖陷阱、放毒气……”

“我的天啊，想想都十分可怕。对了，他爸，你听说过吗？曾经有个男人将管子插在汽车排气管上，之后又将管子的另一头插进兔子窝，杀死了好多兔子！”

“亲爱的，别担心！”兔子爸爸安慰道，“我早就告诉过你了，咱们那些惨死的同胞，其实他们自己也有问题，他们把安全出口处都堵得严严实实的。虽然囤积食物是咱们兔子家族的优良品德，但是也不能堵住安全通道啊，你看，有危险来了，跑都跑不掉。”

“哦，如果真是那样的话，那咱们家还好，倒是没有东西堵住安全通道。”

兔妈妈叹了口气说道。

“唉，那是因为咱们家实在没有东西，你看到处都是空空的。”兔爸爸说道，“自从那户好人家走了后，咱们这几年过得实在太苦了，食物连柜子都装不满，怎么还会放到安全通道呢？不过亲爱的，你倒是喜欢将扫把、拖把之类的放在安全通道，我有一次都差点被绊倒了！”

“是吗？你怎么不早说呢？”兔妈妈责怪道。之后兔妈妈麻利地将安全通道的东西全都收走了，这才稍微安心了。

“对了，他爸，你说新人家会不会砍掉咱们窝边的灌木之后重新犁田种地?”

兔爸爸想了想，说道：

“这个还是很有可能的，不过我感觉可能性不大，如果不幸，新人家真的这样做了，那咱们也只能搬家了。唉，在这个地方住了这么久也有些感情了，不过这里挺潮湿，我觉得自己都患上风湿了，说不定咱们搬到地势高些的地方，会缓解我的症状。我之前考察过，在松树林附近有一块地方不错，如果一旦发现新人家有大动作，咱们搬到那儿去应该还不错。”

“哦，搬家!”兔妈妈悲痛地说道。一想到以后的生活可能会发生这么大的变动，她就难过不已，甚至放声大哭起来。

于是兔爸爸赶紧转换话题，准备聊一聊养猫养狗的问题。

“乔治，好好听着，一定要小心猫，我已经提醒过你多次，你一定要记住。唉，说起这个，我就想起来，我们这些大人必须要教会孩子这些最基本的生活常识，等到他们足够大了，大到可以自己出门面对一切困难的时候，那时才能放他们出门。要知道外面的世界真是很凶险的，我们必须要教导那些孩子，要时时刻刻保持警惕，一定要规规矩矩地生活，因为稍有不慎就会有生命危险。哎呀，我说到哪儿了？对了，小乔治，我告诉你，一定要小心猫，虽然猫的奔跑速度和耐力都不行，看他们跑步简直会笑掉大牙，但是你要知道，他们最擅长搞偷袭，你好几个兄弟姐妹就是死于猫爪之下。”

乔治听到兔爸爸的教导，连忙保证道：“好的，爸爸，我一定会小心猫的！”

而兔妈妈听到这儿，想起了那些惨死在猫爪下的子女，又哭了起来。

兔爸爸只好继续说道：

“还有，比起猫来，狗要有趣得多，我觉得也许有一天狗会成为我们兔子坡最受欢迎的新成员。我真希望有一天能和一只纯种的猎狗来玩一场你追我赶的游戏。你知道的，前面十字路口那个胖男人商店里的那条狗，简直太差劲了，就是一个乡巴佬，要速度没速度，要策略没策略。唉，真是想念以前在肯塔基的时候……”

没等兔爸爸说完，兔妈妈就打断了他，因为兔妈妈十分了解兔爸爸，兔爸爸只要一聊到肯塔基的事，就会没完没了。

“亲爱的，我知道，在肯塔基的生活特别舒服，不过，你在这里有波琪呀！你不是和波琪关系很好吗？你总说他是个好人！”

“是啊，波琪是个好人，只是可惜他住的地方没选好，偏偏要住到那大房子的旁边，这一点简直非常愚蠢！要知道，在那里住可是非常危险的。如果以前的那户好人家还在那里居住，波琪住到那儿当然是没问题，我认为，他甚至都能住到那户人家的家里去。但是如果这位新人家带了一条狗来的话，我想波琪的日子恐怕就不那么好过了。有时间我还是要找他谈谈，好好把这件事的重要性和他分析分析。”

“你说起波琪，我倒是想到了咱们的阿纳达斯叔叔了，自从他女儿莉德嫁人后，他就一个人孤苦伶仃地住在那么远的地方，而且听说，现在还越来越糊涂了。哎呀，可怜的阿纳达斯叔叔，不知道现在家里乱成什么样了，又没人做饭给他吃，真想把他接过来小住些日子，虽然咱们吃的也不够。不过现在新人家要来了，肯定会很危险，到底该怎么办呢？”

兔妈妈担心地说道。

“那咱们就把他邀请过来吧，我觉得现在时机非常合适。”

“首先他一个人孤苦伶仃也怪可怜的，再说虽然咱们现在食物短缺，但我听说他住的那个地方，情况比我们还差。我们这儿马上就会有新人家来，情况肯定会得到改善，之后阿纳达斯叔叔就能吃到新鲜的蔬菜，多好的事呀！”

“而且他最年长，也拥有多年和人类打交道的经验，如果我们的新人家不那么友善，我觉得他会给我们提出很多宝贵的建议，让我们能避免一些灾难。”

“嗯，亲爱的，你分析得很有道理，那咱们派谁去接阿纳达斯叔叔呢？”

兔妈妈问道。

“这几天我都很忙，我想当务之急，只有派咱们的小乔治去接阿纳达斯叔叔了！”

兔爸爸考虑了一会儿说道。

“啊，那可不行，乔治还是个孩子呢，怎么能担任如此重担！不行不行！”

兔妈妈听见后连忙摇头。

“亲爱的，咱们的小乔治已经是个大孩子了，他跑得和我一样快，而且他也会避开危险，你就放心好了！”

兔爸爸安慰道。

“妈妈，您别担心我了！”小乔治也说道，“过去的几个月，都是我一个人跑到那个胖男人的店里拿食物的，不是吗？每天我都会拿着食物安全到家，相信我，我已经长大了。何况我们去年一起参加过莉德阿姨的婚礼，我还记得那条路呢！”

“是的，亲爱的，你就放心吧！”

兔妈妈没有再多说什么，但嘴里还是嘟嘟囔囔。小乔治也不管了，乖乖上床睡觉，准备第二天去接阿纳达斯叔叔。

第三章
小乔治的歌

第二天，天刚蒙蒙亮时，小乔治一家就起床了，兔妈妈给小乔治准备了一份营养、可口的便当。她还给阿纳达斯叔叔写了一封信，之后把它们都放到了乔治的小背包里。

“孩子，一定要当心哪！”

兔妈妈为乔治准备好一切后，连声叮嘱道。

“别担心，我去送送他！”兔爸爸说道。

兔爸爸亲自为小乔治送行，他俩一路小跑，跑下了山坡。

周围的一切都笼罩在一层雾霭中。只听见小鸟在巢里欢快地唱着歌，迎接着新的一天的到来；鸟妈妈们则在整理鸟巢。

除此以外，周围非常安静。

所有的人都在沉睡中，不过动物们已经都在静悄悄地活动了。

兔爸爸和小乔治还在路上遇到了灰狐狸，他睡眼惺忪，嘴边还沾着一些鸡毛，看样子是饱餐了一顿。

之后他们还遇到了红鹿，红鹿优雅地和兔爸爸打着招呼，不过兔爸爸此时却没有心情和红鹿聊闲天，他可是要办正经事的。

“听好了，孩子。”兔爸爸郑重其事地对小乔治说道，“一路上一定得小心，绝对不能冒风险，也不许粗心大意。你妈妈已经够担心的了，你可千万不能出什么事。现在我再考考你，要是遇到了桥该怎么办？”

“如果遇到了桥，我会先躲起来，之后观察一阵子，如果周围没有狗，也没有行驶的车辆，没有任何可疑的事和人，我就会以最快的速度跑过桥。然后再躲起来看看自己有没有被发现，确定一切正常后，我才会继续往前走。遇到十字路口也是一样的。”

小乔治信心满满地说道。

“不错，就是这样做。现在我再考考你，看你记不记得沿途的那些狗！”

兔爸爸一脸严肃地说。

“当然记得，十字路口那个商店的胖男人养的两条狗，没有威胁；山路上的那条牧羊犬，是只纸老虎，只会叫不会咬；教堂的拐弯处有只警犬，鼻子已经失灵了；山上红房子里有条斗牛犬非常厉害；大仓库附近有条老猎犬，千万不能惹……”

小乔治闭着眼睛将这些狗的特征全说了出来，可见他对这些狗的信息了如指掌。

兔爸爸听了连连点头。

“好小子！非常好！还有，一定要记住了，千万不能和那些笨狗周旋，白白浪费力气。如果遇到有些跑得快的狗，绕两圈后就先停下来，躲到石头的阴影里，千万不能动，尤其是你的耳朵，因为你总是会不由自主地抖动你的左耳。你如果被那些狗逼得太紧，就找找土拨鼠波琪的亲戚，他们都会愿意来帮助你的！另外，你脱离危险后一定要向他们表示感谢。”

“好的，爸爸！您还有什么要吩咐的吗？”

小乔治说道。

“你还要注意，一定要保存体力，如果跑了一段时间，那么就要停下来休息十分钟。还有，你这一路千万不能冒险，我希望明天晚上之前就能看到你和阿纳达斯叔叔安全回来！”

“爸爸，放心，我保证完成任务！”

小乔治调皮地说道。

“好了，走吧，我们等你们回来！”

兔爸爸依依不舍地说。

小乔治背紧书包，穿过了小桥后看到兔爸爸还在桥的那一头朝着自己挥了挥手，他也冲兔爸爸挥了挥手后一个人上路了。

天气还早，看门狗们还在梦中沉睡，周围静悄悄的，教堂附近的人们醒来了，正准备做早餐。

这时，教堂拐弯处的警犬突然冲了出来，把小乔治吓了一大跳。

不过他稍微定了定神后，故意放慢脚步把警犬引到了石楠丛中，然后他钻进去，躲到了里面，那警犬在他后面穷追不舍。眼看着小乔治钻进了石楠丛，那警犬速度太快，刹不住，一头撞到了石楠丛上，那石楠丛上都是刺，疼得那警犬嗷嗷直叫。

小乔治听到警犬悲惨地叫声，简直高兴极了，都快唱起歌来了。

于是他兴奋地钻出石楠丛，然后镇定自若地朝山脊跑去。

“如果爸爸刚才在这里就好了，他一定会为我感到骄傲！”小乔治自言自语地说。

等乔治到达山脊时，太阳已经升起来了。路过山上的红房子时，小乔治看到那条斗牛犬还在呼呼大睡。如果是以前他肯定会上前去逗逗他，和他玩一玩你追我赶的游戏，但是现在他有要务在身，何况兔爸爸反复叮嘱过，不能贪玩，早去早回。

所以他还是继续心无旁骛地赶路。

只是这段路是一段开阔的山路，虽然有连绵的森林和草地，而且蔚蓝的天空中飘着软绵绵的白云，一切都特别美好，但是小乔治还是觉得跑着跑着有点无聊了。总得干点什么吧，小乔治心想。

于是他开始唱起歌来。

这首歌的旋律在他的脑海里盘旋了很久，他总想试着将旋律与歌词结合起来，可试了好多次都没成功。正当他聚精会神地哼着自己编的歌曲时，突然那条凶狠的老猎犬从大仓库附近窜了出来，并且在小乔治后面穷追不舍，小乔治甚至都能感觉到那老猎犬吐出的热气。

老猎犬不断咆哮着，那低吼的声音极具杀伤力，让小乔治身上的汗毛都竖起来了。

他决定先找个安全的地方躲起来，于是他逃离到安全地带，收紧了背包的带子，继续赶路。

老猎狗依然不依不饶地追赶着，小乔治东跳跳，西跳跳，不停地绕来绕去，想把老猎犬绕晕。

但显然，他是在徒劳，因为这片旷野太空旷了，老猎犬又熟悉这里的每一个角落，这种小把戏才骗不了老猎犬，无论他怎样闪躲，他都甩不掉老猎犬。

这时，他想起来了爸爸说过，如果遇到危险情况可以去土拨鼠波琪的亲戚家，于是，他到处找土拨鼠的洞穴。无奈什么都没有找到。

“看来不能靠别人，只能靠自己拼命跑了！”

小乔治自言自语道。

于是，他将背包的带子拉得更紧了，还将两只耳朵用绳子绑了起来，肚子紧贴地面，使出全身力气朝前跑去。在阳光下，小乔治感觉自己的每一块肌肉都在跳动，他跳跃的步伐越来越大，他似乎从来没有这么强壮过，也从来没有跑出这么快的速度，他觉得自己的双腿就像弹簧一样，每次后腿一蹬地，他就感觉自己的身体就像被弹簧弹出去了一样，并且丝毫不觉得累。

就这样，他跳过篱笆，跳过石头，穿过草丛，就像在空中飞翔一般。他终于体会到小鸟们所说的“飞”是一种什么感觉了！

他为自己拥有这种感觉而骄傲。等他稍微冷静下来，回头看那条老猎犬时，发现那老猎犬早就被他甩得远远的了，不过老猎犬依然锲而不舍，还是在后面气喘吁吁地追赶着。

此时的小乔治不再害怕，他奋力向前跑着，坚信过不了多久那老猎犬就会知难而退了。

正当他从一个小山坡上一跃而起时，他突然想起一件事来：

死亡溪！

怎么会把死亡溪忘了呢？

他不断地指责自己。死亡溪就在不远处，那条溪流又深又宽，现在老猎犬将他逼到了这个陷阱中，不管他往左还是往右，都逃不开这死亡溪的包围圈。老猎犬还在后面穷追不舍，眼看他们之间的距离越来越近，小乔治根本没有退路。

怎么办？

这条溪流太宽了，即使是身手矫健的兔爸爸也跨不过去。

可现在小乔治实在没别的路可走，看着越来越近的老猎犬，他只能硬着头皮往前冲了。

于是，他调整心情，冷静下来选了一处地势较高的河岸，又在河岸上挑了一个地方，计算好了一切之后，收紧了背包带，加快速度，使出了吃奶的劲儿，双腿往后猛地一蹬，呼的一声腾空而起，起跳很完美！

小乔治暗自为自己叫好。

跳到半空中，他看到了那棉花糖般的白云倒映在清澈的溪水中，还有些小鱼在水中游来游去吐着泡泡，接着一声巨响，他跳到对岸后翻了几个跟斗才安全着陆。

之后他丝毫没有休息，环顾四周后马上就躲进了一片茂密的草丛中。

“呼哧，呼哧……”

小乔治不停地喘着气，但仍旧非常警惕，他蹲在草丛中一动不动，仔细观察着那条老猎犬。

只见那老猎犬滑下山坡时发出了阵阵吼叫，在山坡底下翻了几个跟斗后好不容易才停了下来，之后看到眼前那宽广的溪流，可能觉得自己肯定跳不过去，于是只好转身往家的方向走去。

看着老猎犬离去的背影，小乔治高兴坏了，总算是脱离危险了。

他实在是累坏了，在草丛中静静地待了一会儿后，等心跳平复下来，从小背包里拿出了妈妈为他准备的午餐。他边吃午餐边想刚才发生的事，可真是惊险啊，现在想起

来都惊魂未定。

不过等他休息好了，午餐也吃完了之后，他又有精神了。

“幸亏兔爸爸不在身边，他如果在的话肯定会责怪我的。”小乔治心想。

他知道自己刚才有点大意了，只当老猎犬出现在他眼前时，他才发现了老猎犬，之后他考虑不周，没留意到死亡溪的存在，差一点就在这陷阱里逃不出来，不过还好跳过了死亡溪。

哈哈，跳过了死亡溪！

想到这儿小乔治简直是激动万分，在这个地区，历史上还没有哪只兔子能跳过死亡溪，甚至连跑步最快的兔爸爸都没有！

于是，小乔治跑到溪水边测量了一下，那小溪足足有5米多宽！小乔治跳了5米多！

想到这儿，小乔治顿时情绪高涨，突然一段歌词和旋律从脑海里冒了出来：

新人家要来啦，哦，天哪！

新人家要来啦，哦，天哪！

新人家要来啦，哦，天哪！

哦，天哪！哦，天哪！哦，天哪！

之后，小乔治躺在茂盛的草丛中唱了起来。这首歌歌词简单，旋律也朗朗上口，调子一会儿高一会儿低，循环往复。

小乔治对这首歌非常满意，他高兴地唱着，就像唱着一首胜利的歌曲。他一遍一遍地唱着，毫不厌烦。

这时一只知更鸟听到这歌声后飞了过来。

“嘿，小乔治，是你啊！”

知更鸟热情地和小乔治打着招呼。

“你好！”

小乔治礼貌地回应着。

“你在这儿干吗呢？”

知更鸟好奇地问道。

“我要去接阿纳达斯叔叔。你从哪里过来？”

“我刚从兔子坡那边过来！”知更鸟说道，“那里的人们都高兴极了，好像说有新人家要来！”

“我早就知道了，我还为新人家编了一首歌呢！你想听吗？”

小乔治急切地问道。

“哈哈，我刚才就听到了，你自己慢慢唱吧，我要走了！”

说完，那只知更鸟就飞走了。

没人做小乔治的听众，不过他也不气馁，自己高兴地唱着。收拾好小背包，背上后又继续赶路。他边跑边唱，这首歌真适合赶路的时候唱。于是，小乔治唱着歌穿过了山林，终于在傍晚的时候到达了阿纳达斯叔叔所住的区域。

第四章

阿纳达斯叔叔

小乔治第四千遍唱着那首歌路过一片灌木丛时，突然听到里面传来了一声喊叫：

“哦，天哪，这到底是什么……”

小乔治听到这个声音觉得特别耳熟，他停下脚步，转过身看了一眼。

“阿纳达斯叔叔！你怎么在这里？”

看到了阿纳达斯叔叔，小乔治简直非常惊讶！原来他都已经到了阿纳达斯叔叔家附近了。

“小乔治！”阿纳达斯叔叔也叫了起来，“你怎么在这里？你有什么事情吗？哈哈，快进来吧，你一定赶了不少路，累坏了吧！快进来！”

小乔治来到阿纳达斯叔叔的家门口，他被眼前的一切惊呆了！

虽然妈妈曾经猜测过，她认为阿纳达斯叔叔家因为没有女人整理，房间一定很乱，可是她绝对想不到阿纳达斯叔叔家会这么乱！

一看阿纳达斯叔叔家，就知道这是个单身汉的家。虽然有时候乔治还是非常羡慕那些单身汉，觉得他们生活自由，无拘无束，但是乔治看了阿纳达斯叔叔的家后，他的想法有了一些变化。

只见，阿纳达斯叔叔的家门口被扫帚、破铜烂铁、食物残渣等堆得满满的，根本都下不了脚，除此之外，还有数不清的跳蚤在家里跳来跳去，简直又脏又乱。

小乔治一整天都在外面，呼吸着外面非常新鲜的空气，猛然来到阿纳达斯叔叔的房间，简直让他快透不过气来。进屋后，小乔治觉得阿纳达斯叔叔家很闷，而且有一股臭味，其中还夹杂着烟草味——是的，阿纳达斯叔叔还在这么狭小的空间中吸烟。这难闻的气味简直快要让他窒息了，他不停地大口呼吸着。

阿纳达斯叔叔没有察觉到小乔治的异常，他看到小乔治还是非常高兴的。

“你先休息一下，我去做饭！”

说完，阿纳达斯叔叔就做饭去了，没过多久阿纳达斯叔叔就拿来了晚餐。

果然不出小乔治所料，阿纳达斯叔叔的烹饪手艺实在不怎么样，他不知道从哪里找来了一些大头菜，菜叶干瘪没有水分，用清水洗了洗后就给小乔治吃。

小乔治硬着头皮吃完了这顿可怜的晚餐后，提议出去待一会儿。

于是阿纳达斯叔叔带着小乔治出门了。

在屋外坐了一会儿后，他呼吸了新鲜的空气，小乔治这才缓过神来，然后从背包里拿出了妈妈给阿纳达斯叔叔写的信。

“阿纳达斯叔叔，给，这是我妈妈让我带给你的一封信！”

小乔治将信递给阿纳达斯叔叔。

“别给我，别给我，还是你拿着给我念一念吧，我找不到眼镜了！”

阿纳达斯叔叔抽着烟说道。

其实阿纳达斯叔叔根本就没有眼镜，只是他没有上过学，不识字。

小乔治知道阿纳达斯叔叔的鬼把戏，可是他觉得戳穿了会让阿纳达斯叔叔有些难堪，于是小乔治就乖乖地念了起来。

亲爱的阿纳达斯叔叔：

你好吗？

莉德已经出嫁很久了，自从莉德出嫁后，你一个人是不是很孤单？

我们一家人都特别希望你能过来和我们一起过个暑假。

我们这儿有户新人家要来了，大家都很高兴。不过其实我还是挺担心的，虽然新人家来了之后，我们的伙食可能会改善，但他们可能会带来枪支弹药，还可能会挖陷阱投毒药，谁知道呢？

现在的情况也不是太明朗。可能你也没必要冒着生命危险跑这一趟，不过你年纪已大了，应该也不会在乎这些吧？

好了，无论如何，我们期待你的到来！

爱你的侄女：莉莉

信件的结尾还附言：“别让小乔治捣乱！”不过，小乔治没将这句话念出来。

“太好了，太好了，这封信写得太及时了！”

听完后，阿纳达斯叔叔兴奋地叫道："正好这个夏天我不知道做些什么呢！你妈妈说得太对了，莉德嫁人后，我的确太孤单了，连个说话的人都没有，每天只能偷偷胡萝卜打发打发时间。不过这里的人很小气，几乎不给我们留下什么食物。哦，新人家要来了，这可能是件好事，也可能是件坏事，说不好。还得观察一段时间再说。不过，小乔治，你妈做的豌豆生菜汤还和以前一样好喝吗？"

"那是当然，我妈做的那个汤是兔子坡的一绝。哦，你一提起来，我就好想喝，真想现在就能痛痛快快地大喝一碗！"

小乔治咽咽口水说道。

"哈哈，那就好！等着，我去收拾收拾东西，明天一早就出发！"

阿纳达斯叔叔高兴地都快跳起来了。

"阿纳达斯叔叔，我在路上为新人家编了一首歌，你想听吗？"

小乔治热切地看着阿纳达斯叔叔。

"不听不听，我很忙，你去挑个地方睡觉吧。我还得将我那些乱七八糟的小东西打包呢。"

说完，阿纳达斯叔叔就进屋打包行李了。

小乔治看到阿纳达斯叔叔忙忙碌碌的样子，也不想打扰他。可他也实在不想在阿纳达斯叔叔家里睡觉，那里不仅脏乱，气味还很难闻，而且还有那么多跳蚤跳来跳去，弄得人浑身不舒服。

于是他在灌木丛附近找了个睡觉的地方。夜晚的小风吹得他舒服极了，他轻轻地哼着那首歌，就像哼着一首好听的摇篮曲一样，没过多久，他就把自己唱得睡着了。

第五章
安全回家

第二天一大早，阿纳达斯叔叔早早地就过来叫小乔治起床：

“小乔治，快起床，我们今天早一点出发，你洗漱完毕咱们就赶路。”

小乔治醒来后，揉了揉双眼，伸了个大大的懒腰，迅速地从灌木丛中爬起来，刷牙洗脸，不声不响地收拾好了一切，背好了行李，就与在一旁等待他的阿纳达斯叔叔上路了。

因为阿纳达斯叔叔年事已高，走路慢悠悠的，所以他们得早些动身。

“小乔治，咱们不赶时间，慢慢走！”

阿纳达斯叔叔说道。

“好的！”

小乔治倒是也不着急回家，他哼着歌慢慢陪着阿纳达斯叔叔走着。

虽然阿纳达斯叔叔老胳膊老腿走不快，可他了解这一片的每一条路、每一条捷径、每一只狗和每一个藏身之处，这也大大弥补了他速度上的不足。

阿纳达斯叔叔一路上都在向小乔治传授兔子生存法则，这也让小乔治大获裨益。

说实话，阿纳达斯叔叔懂得可真够多，比兔爸爸懂得都多。

他们一路在阿纳达斯叔叔的带领下，挨着石头墙的阴影和灌木丛赶路；每每遇到比较危险的养狗的房子，阿纳达斯叔叔都会带着小乔治远远地避开，从不会将自己暴露在危险之中。

此外，只要他们在赶路过程中休息一会儿，旁边总会有一个洞穴或者石楠丛，方便遇到危险时逃离。阿纳达斯叔叔果然十分有经验，这一路走来，他们非常顺畅，几乎没遇到任何危险。

中午时分，他们来到了死亡溪，并且在那儿停下来吃了顿简单的午餐。

午餐非常差，都是从阿纳达斯叔叔家的储藏室里拿来的食物，味道怪怪的，小乔治勉强吃了一点。

吃完后，小乔治将阿纳达斯叔叔带到了他跳过死亡溪的地点。

“阿纳达斯叔叔，你看，就是这儿，昨天那条老猎犬在我后面穷追不舍，我一下子就跳过了死亡溪，逃脱了他的追捕！”

小乔治骄傲地指着地上的脚印说道。

阿纳达斯叔叔抽着烟，仔细打量着那条宽阔的小溪，观察了一会儿，他称赞道：

“真是了不起，小乔治！真是了不起！”

阿纳达斯对小乔治竖起了大拇指：“小乔治，这一跳非常了不起，我想你爸爸可能都跳不了这么远，哈哈，如果换成是我年轻的时候，我恐怕也不行！小伙子，这真是了不起的一跳！”

“嘿嘿嘿！”

听到阿纳达斯叔叔的夸奖，小乔治高兴地都快合不拢嘴了。

“不过小乔治，这一跳虽然很了不起，但是你以后最好还是不要将自己逼入这样危险的境况才行！正是因为你的粗心大意，才落入了这样的陷阱，这一次你侥幸逃脱了，但是下一次就不好说了！我敢打赌，你爸爸如果知道了，肯定会很生气！”阿纳达斯叔叔严肃地说道，“要知道，我们兔子一生都要小心谨慎，稍不留神恐怕就会惹来杀身之祸，听到了吗？”

“是的，阿纳达斯叔叔，我错了！我以后一定要更加谨慎才行！”

小乔治低着头认错。

“好啦，好孩子，知错就改，善莫大焉！”

说完，阿纳达斯叔叔就找了个地方躺了下来。

阳光很好，空气新鲜，阿纳达斯叔叔的话匣子也打开了。

“小乔治，你今天哼的那首歌虽然旋律和歌词都很简单，不过还是挺有意思！你知道哪里有意思吗？”

阿纳达斯叔叔小声地问道。

小乔治摇摇头，瞪大眼睛望着阿纳达斯叔叔。

“那就是不管怎样，新邻居总会来！不管我们愿不愿意，新时代也总会到来。”

“乔治，你看看我们脚下的这片土地，很久以前，我爷爷的爷爷的爷爷曾经说，曾经有一些身穿红色制服的英国士兵在这附近烧杀抢掠，还将很多人都埋在这儿，那场景真是非常吓人，那段时间大家过得也很辛苦，没有食物，动物们都逃到了别的地方。不过好在没过多久，那些英国士兵全都离开了，苦日子也跟着一起走了。”

“后来，有新的人家搬到了这片土地上居住，新的时代也随之而来。没过多久，越来越多的人来到了这里，人们在这片土地上种满了小麦、土豆、胡萝卜等等。你肯定从来没见过那种丰收的场面，到处都是人，到处都是加工厂，简直壮观极了。人们将加工过的粮食运到了市场上去卖，所以每天都会有一些四轮马车来来往往地运送货物，真是一片繁荣的场面哪！”

“不过，这些都是人类的事儿，咱们兔子也还是照样抚养后代，各自管好咱自家的事儿。”

这时，阿纳达斯叔叔稍作停顿后，抽了两口烟，沉默了一会儿。

“然后呢？”

小乔治被阿纳达斯叔叔讲的事情深深吸引，连忙追问道。

“后来啊，好日子也没过多久，有一天不知为什么，这里的年轻人都穿上蓝色的制服，背着大大的行李袋，手里拿着的食品袋里装满了各样的食物，背上还背着枪杆子，他们一路边说边笑地离开了这里，可惜的是他们中的大多数人到最后都没有再回来。留在这片土地上的人，到最后不是老了就是死了，反正都不太中用。曾经郁郁葱葱的庄稼地也没人种了，地里都长满了杂草。最后加工厂也空了，磨坊也倒了，人们的生活越来越苦了，过去的那种苦日子又回来了。当然啦，我们的生活也过得很苦，不过爷爷奶奶还是在尽力抚养我们。”

“之后没过多久，又有新的人家来了！人们在这一片修建农场、盖房子、修柏油路、开商店，每天还有四个轮子的汽车跑来跑去。你看，好日子又回来了，咱们动物们又过起了好日子！”

“哈哈，还真是有趣呢！”

小乔治笑着说道。

“是啊，所以，乔治，你要明白，这世上总有好日子和坏日子，但是，不管是怎样的日子，随着时间的流逝都会过去，总会有新人家要来，也总会有人要走，我们要保持一颗平常心。”

“所以我说你的那首小曲儿有些意思，只是有点太单调了，听久了就犯困。”

“好啦，不聊了，我来睡会儿，休息个十分钟，你在旁边睁大眼睛好好看着，你可千万不能打盹啊！”

说完，阿纳达斯叔叔就找了个地方睡下了。

听了叔叔的话，小乔治片刻都不敢放松警惕，他竖起耳朵仔细留意着周边的情况，就像一名警觉的哨兵一样，发现周围没有异常情况后，他略微放松，开始思考叔叔刚才所说的话。

不过小乔治只要一思考就会想睡觉，没过多久，他的双眼都快闭上了。这时他突然想起了阿纳达斯叔叔让他千万别打盹，就立刻睁开了眼睛。

“不行，不行，我得去洗把脸！”小乔治自言自语道。

于是，他来到了小溪边，用溪水洗了洗手和脸，顿时觉得清醒多了。

然后他收拾了一下阿纳达斯叔叔的行李。估摸着十分钟快到了，于是就叫醒了叔叔，准备继续赶路。

阿纳达斯醒来后，舒服地伸了伸懒腰，然后爬起来拿上了行李。

没走多远，从草丛中突然冒出来了很多小动物，有小松鼠、土拨鼠，还有一些兔子。

原来他们听说阿纳达斯叔叔暂时要离开这里，所以特意前来送行。

此外一些土拨鼠也想让阿纳达斯叔叔给兔子坡的亲戚——波琪带个信儿。

那些小动物一一上前和阿纳达斯叔叔道别，还让他早日回来。

过了好一会儿，大家才依依不舍地离开，阿纳达斯叔叔和小乔治继续赶路。

快到傍晚时分，他们才到小桥这儿，此时他们风尘仆仆，已经又累又饿了。

这时，阿纳达斯叔叔突然停下了脚步。

“叔叔，你在想什么？”

小乔治好奇地问道。

只见阿纳达斯叔叔吞吞吐吐：

“这个，这个……”

“到底怎么了？”

小乔治有些着急了。

“好吧，就这么干！乔治，那些女人有时候真是莫名其妙，对一些事情会非常讲究，你妈更是如此。哎呀，我已经多少年没做过这件事了，为了不让你妈大惊小怪，我下定决心了！”

“下定决心干吗？”

小乔治被阿纳达斯叔叔说得一愣一愣的。

“小乔治，听好了，这辈子我绝对不说第二遍，我要洗澡！哦，天哪，真是不可思议。”

说完之后，阿纳达斯叔叔将行李放在岸边，一下子跳进了小河里。

小乔治看到阿纳达斯叔叔跳进了水里觉得很有趣，他也跟着跳进去了。

再次从小河里钻出来的时候，阿纳达斯叔叔身上的兔毛被水都浸透了，一缕一缕的。

“阿嚏！”阿纳达斯叔叔打了个喷嚏，“这水还有些凉！”

之后，他用水将身上冲洗干净后赶紧上岸了。小乔治则在水里泡了好久，要不是阿纳达斯叔叔喊他上岸，他恐怕还想多玩一会儿呢。

他们洗完了澡，身上干干净净的，特别精神。

“真是清爽啊！”就连不喜欢洗澡的阿纳达斯叔叔也发出了这样的感叹，“咱们快点赶路吧！”

于是，他们俩急匆匆地朝兔子坡赶去。

小乔治跑得尤其快，离开家一天，他实在是迫不及待地要回家了。

快到兔子坡时，远远地他们就看到了兔子坡那幢房子的屋顶上换上了崭新的瓦片，空气中还飘来了松木的香味和油漆的气味，看来兔子坡发生了大变化。这让小乔治激动不已，他跑得更快了。

快到家门口，小乔治大声叫道：“爸爸，妈妈，我们回来了！”

兔爸爸和兔妈妈赶紧跑出门，一把将小乔治搂在怀里，“哎呀，谢天谢地，你终于回来了！”兔妈妈高兴地说道，“阿纳达斯叔叔呢？”

“我在这儿呢！”

阿纳达斯叔叔背着行李，慢悠悠地走了过来。

“阿纳达斯叔叔，见到你真是太高兴了！”兔妈妈激动地说，“快进屋吧！”

“我见到你们也很高兴！”

阿纳达斯叔叔看着兔子一家人，也非常高兴。要知道他长时间过着一个人的孤单生活，现在终于见到了亲人，他能不高兴吗？

之后，兔爸爸和兔妈妈就将阿纳达斯叔叔和小乔治迎进了屋。

“阿纳达斯叔叔，这段时间你就在这个房间住！我已经将房间收拾好了，你看看满不满意？”

兔妈妈将阿纳达斯叔叔领进了客房。

“很好，很好！比我家好多了！哈哈，我家里简直是一团乱！”

阿纳达斯叔叔不好意思地说道。

“那现在你好好休息一下，一路上也是够辛苦的。待会儿就开饭了！”

说完她就去厨房忙去了。

阿纳达斯叔叔将行李打开后，把东西一一拿出，安放在房间里。

小乔治回到家兴奋极了，拉着兔爸爸讲述他一路冒险的经历。

当他讲到自己因为粗心大意被老猎犬逼近了死亡溪时，兔爸爸生气极了。

“什么？你居然犯了这么低级的错误？你知道吗，这个错误差点就能要了你的小命！”兔爸爸指责道，“我告诉你多少遍，千万不能大意，一定要小心。你难道忘了那些死去的兔子同胞了吗？他们都是因为太大意了！”

“好的，爸爸，我记住了，以后类似的事情再也不会发生了！”

小乔治保证道。

“我想你应该被吓坏了吧？这次的经历一定会让你终生难忘！”兔爸爸说，“那你是怎么逃脱的呢？”

“爸爸，你绝对想不到，后来我实在走投无路，找了一个地点，跳过了死亡溪！”

小乔治骄傲地说。

“什么？你跳过了死亡溪？！这是真的吗？天哪，这可真是了不得！”

兔爸爸听到后简直惊呆了。

“那死亡溪足足有 5 米多宽！”

小乔治连忙比画道。

“我恐怕都跳不了那么远！”兔爸爸说道。

虽然兔爸爸还是觉得小乔治有些粗心，不过，此时他为自己的儿子感到自豪。

“妈妈，妈妈，我还自己编了一首歌呢！”小乔治跑过去对妈妈说道，“我来唱给你听！”

“嘘！”兔爸爸对小乔治做了个手势，让他安静下来，“你们听！”

小乔治和兔妈妈都竖起了耳朵，过了一会儿，他们听到了一阵歌声。小乔治仔细分辨后才发现，那首歌正是自己编的那一首。

原来兔子坡上的动物们都在高声合唱这首小乔治编的歌。

“妈妈，这首歌就是我编的！”

小乔治此时的兴奋简直无法言说。

之后的几天里，他经常听到动物们唱这首歌，有时路过波琪的家时，会听到土拨鼠波琪五音不全地唱着：“新人家要来啦，哦，天哪！”

有时候还能听到从他们家门前路过的黄鼠狼、红鹿和灰狐狸的歌声。

田鼠威利和他的姐妹们也经常在家合唱这首歌，他们又细又尖的声音会飘到很远处。

就连兔妈妈也被这首歌吸引了，她在做饭的时候唱，收拾屋子的时候也唱。

后来连阿纳达斯叔叔也对这首歌的旋律了然于胸，有时候他在厨房闻着汤锅里散发出的香味时，会唱道：“哦，天哪！”

动物们唱唱也就罢了，后来发展到连人类都开始唱这首歌。

有一天，当一群木匠开着一辆卡车在大房子附近穿行时，小乔治听到他们口中正在哼着他的歌！

又有一天，小乔治路过路边的小木屋，看到那个勤劳的庄稼汉蒂姆正站在拖拉机旁，手里拿着工具在给拖拉机做保养，他边修着拖拉机，嘴里边唱着歌。

“亲爱的，你唱的是一首什么歌？”

他的妻子玛莉听到后笑着问道。

“我也不知道是首什么歌，最近好像还挺流行！”蒂姆笑着说，“新人家要来啦，哦，天哪！新人家要来啦，哦，天哪！新人家要来啦……”

“哈哈，这真是一首有趣的歌！新人家要来了，大家都很高兴，天大的喜事啊！”

玛莉说道。

“新人家要来啦！新人家要来啦！这下可干的活儿就多了！你看，那一大片菜园都需要整理，那些草坪上乱糟糟的也需要来修剪，北边那块地要犁，之后还要撒种，此外还需要修剪树枝，修修马路，说不定还会养养鸡，天哪，想想这活儿可真是够多的。哦，天哪！哦，天哪！新人家要来啦！”蒂姆大声说道。

看着蒂姆这么高兴，玛莉也快乐地哼着这首歌进了厨房。

那个泥工要来整修房子了，他将一些修房要用到的工具，比如水桶、铲子、水泥袋等，全部都扔到了卡车上。

那个人嘴里也在哼着这首歌，虽然已经走调得不成样子。

十字路口那个胖男人在自己的商店里整理货物，整整一个冬天过去了，由于这一片的人很少，所以他的货架上都是满满当当的。

冬天过去了，春天的风儿暖暖地从门缝中吹了进来，那个胖男人的心情也好了起来。

此时他正坐在高脚凳上涂改他的订货单，他哼着小曲儿：“新人家要来啦！两包咖啡，十二罐牛肉。哦，天哪！火柴、淀粉、胡椒粉、玉米面、盐、酱汁。哦，天哪！新人家要来啦！泡菜、醋、酱油。哦，天哪！”

小乔治听到人类唱他编的歌，心里非常自豪。

山谷里到处都可以听到“新人家要来啦！哦，天哪，天哪”这简单又快乐的旋律。

新人家要来啦！

大家都在期盼着！

第六章
倔强的波琪

兔子坡每一天都有变化，菜园被修整后，变得非常平坦，看上去也比以前大了一倍，最重要的是四周没有被围上篱笆。

这一点简直太棒了，让兔子坡的小动物们都吐了一口长气。

蒂姆还将花园也修理完成，他给花园松了土，施了肥，只等着播种了。

之后蒂姆驾驶着拖拉机，哼着“新人家要来啦，哦，天哪”，快乐地劳动着。

波琪和兔爸爸站在波琪的家门口，静静地观看着这一切。

“不错，不错，蒂姆把这块地犁得非常好！看上去很松软！”

波琪赞叹道。

“那是，蒂姆可是没得说了，他可是这一带干活的一把好手呢！”

兔爸爸抽着烟说道。

这时，他们听到泥工问蒂姆：

“蒂姆，你知不知道他们要在这一块土地上种什么？这一块土地也挺大的！”

“先会种上荞麦，以后翻了土之后再种三叶草和猫尾巴草！”

蒂姆回答道。

“你听见没？”波琪用胳膊肘撞了撞兔爸爸，小声地说道，“要种荞麦呀！哦，天哪，天哪！太好啦！我都不记得有多久没见到过荞麦了！哦，新人家要来啦！哦，天哪，天哪！”

“哦，他还要种三叶草和狗尾巴草呢。对了，他们种不种蓝草？”

兔爸爸问道。

“还没有听说要种蓝草。不过有荞麦，这让我已经心满意足了！反正我不喜欢吃蓝草。你老婆要是听到了这个消息肯定会非常高兴的，哈哈，我记得她以前做的荞麦蛋糕真是太美味了！哇，人生真是太美好了，一大片荞麦就种在我家前面！”

波琪陶醉地说道。

“那可不，就在你家前面有这么大一片荞麦。不过，这倒是让我想起了一件事……”说到这儿，兔爸爸放下烟斗，严肃地对波琪继续说道，“我必须要严肃地和你交流下，你现在这个房屋位置存在潜在的危险。你想想，如果新人家……”

“停停停！”波琪打断了兔爸爸，“如果你又想让我搬家，那还是算了吧！别白费口舌了，我是绝对不会搬家的！”

波琪倔强地耸了耸肩，继续说道：“我不搬！这么多年来我把这个家收拾得整整齐齐、舒舒服服的，我才不愿意离开这儿搬到别处去呢！好伙计，你的好意我心领了，反正我就是不搬，不搬！”

“波琪，你别这么固执嘛，你还没听我说完呢，你想一想，万一新人家带来了猎狗、猎枪、毒药等等，而你就住在这房子旁边，你觉得如果他们发现了你，会如何来处置你？”

兔爸爸分析得头头是道。

“没关系，我会照顾好自己的！”

固执的波琪嘟囔着。

“我们当然都相信你能照顾好自己，这一点没人怀疑。唉，你这么固执，还不可理喻，让你的朋友们都感到很头痛！”

兔爸爸无可奈何地说道。

波琪没说话，耸了耸肩。

“红鹿和灰狐狸，还有我，我们达成了共识。如果一旦新人家搬到了这里，我们发现他们养狗——这可是很危险的动物，而且你还是这个态度，依旧这么执迷不悟的话，我们会不得不使用武力，将你绑起来之后再转移到安全地带！”

“黄鼠狼大飞也同意我们的想法，而且他说如果有必要，他也会来帮忙。”

“你想想，大飞要是想让你不在这里居住，分分钟就会将这里变成不宜居住的地方！大飞的能力你是知道的，我就不多说了。”

兔爸爸严肃地说道。

说完了这番话之后，兔爸爸就转身，昂首挺胸地离开了。

波琪听完了兔爸爸下的最后通牒，只是耸了耸肩，独自嘟囔道：“不搬就是不搬，就是不搬家！”说完波琪就钻进了他的小窝中。

兔爸爸在回家的路上看到了黄鼠狼大飞和灰狐狸，他俩正在大房子附近观察新修的养鸡场。

“嘿，你们好。”

兔爸爸和他俩打着招呼。

“你好，兔子先生！”他俩回应道，“兔子先生，你看，这个养鸡场的铁丝可真够粗了！不过，我们已经选好了挖掘的地点，你看这就是我们做的记号。”

兔爸爸过去看了看。

“你们选的这个地方真不错，就在鸡笼的正下方，这样你们一定能抓到鸡。”

“想一想能三天两头地吃上鲜美的童子鸡，那真是太幸福了！”

灰狐狸说着，口水都快流出来了。

“我更喜欢垃圾，哈哈！”黄鼠狼大飞说道，“但愿能从他们的垃圾里翻出美味的东西来，那样我就不会吃鸡了。不过，如果他们的垃圾桶是那种带铁盖的就完蛋了，那种时髦新玩意非常危险。”

“我有个表弟曾经有一次跳进垃圾桶找吃的，正吃得开心，不想那垃圾桶的盖子‘哐’的一声盖上了，他就这样被困在里面出不去了，没办法，只得在垃圾桶里将就了一晚。”

“第二天一大早，那女主人来丢垃圾，一掀开垃圾桶盖子，就被一阵恶臭熏得晕了过去。哈哈！”大飞大笑着说道，“后来没过几天，那女人就搬走了。我看就是活该，谁让他们用那种危险的垃圾桶呢！”

“你认为如果不弄垃圾桶，直接挖坑将垃圾埋起来，这个方法如何呢？”

兔爸爸问道。

“那可不行，垃圾里有很多又香又甜又新鲜的食物，如果把它们同那些发霉的食物、罐头、脏东西一起掩埋，那简直就是资源的巨大浪费！不行，绝对不行，这么做绝对不行。”

“我见到过一些老式的垃圾桶，那一种垃圾桶的盖子不会猛地盖下来。新人家如果心地善良的话，应该会用那种老式的垃圾桶，让我们这些动物也可以从垃圾桶里找到吃的。”

大飞说道。

“哎呀，你这家伙怎么总是围绕着垃圾桶说事，听着真是怪恶心的！”灰狐狸不屑地说道，“吃点童子鸡多好！”

“你根本不能理解，垃圾桶里好吃的可多了。有一次，我在垃圾桶找到了一块人类吃剩的比萨，那味道简直美妙极了……”

大飞说着，口水都快流出来了。

兔爸爸也觉得恶心，这个话题实在太倒胃口，他连忙打断大飞道：

“你们聊，我去那边看看！”

于是兔爸爸离开了。

兔爸爸继续往前走，过了一会儿，遇到了小田鼠威利和他的好朋友鼹鼠。

“威利，你好！”

兔爸爸热情地打着招呼。

“您好，兔子先生！”

威利也礼貌地回应道。

“您好，先生！”鼹鼠眼睛不好，但耳朵倒是很厉害。

“对了，你的那些亲戚朋友应该从北边那块地搬走了吧？”

兔爸爸询问道。

“多谢您的提醒，他们在犁地之前已经成功地将他们的财产转移到了安全的地方，大家都对您的及时提醒心存感激！”

小威利客气地回答道。

“不用太客气，我也是碰巧听到了蒂姆说他准备第二天来犁地，所以就将这个消息及时地传播了出去，让大家都有个准备。唉，要是所有人都能这样提高警惕，及时做出反应该有多好！”

“您是说波琪吗？”威利问兔爸爸，“大家搬家的时候让他也搬家，可他就是不愿意。可真是个老顽固！”

兔爸爸听到威利这番话语很不高兴，他严肃地注视着威利，义正词严地说道：

“威利，波琪先生是我们兔子坡最年长、最受尊敬的动物之一，你不应该背地里这样谈论他。”

“是的，兔子先生，我错了！”

威利不好意思地低下了头。

兔爸爸点了点头，对鼹鼠说道：

“鼹鼠，蒂姆把这块草坪修整得可真是平整，你可以在这块土地上尽情地享受挖土的乐趣了！”

这时，鼹鼠随手抓起了脚下的泥土，在手里将泥土碾碎，回答道：

“这些泥土太软了，可能不好挖。而且这段时间虫子特别少，都被蒂姆的拖拉机吓跑了。等过两三个星期之后，草地长出嫩芽——那些虫子最喜欢吃那些嫩芽了，到时候他们都会回来——我就能大干一场了！”

“爸爸，爸爸，好消息，好消息！”

只见小乔治像一阵狂风一样冲了过来。

“什么好消息？”

兔爸爸急切地问道。

“那户新人家明天就要来啦！”

小乔治气喘吁吁地说道。

“你怎么知道的？”

小威利问道。

“我刚刚在大房子那儿听到了泥工对蒂姆说要把路上的洞填好，因为明天搬家车就过来了。哈哈，新人家要来啦！”

小乔治高兴得手舞足蹈。

“太好了，新人家终于要来了！我们明天可以在旁边好好观察，至少能看看他们有没有带狗啊猫啊这一类的危险动物，还能看看新人家品行如何。”

“对了，小乔治，顺便说一下，千万不能在你妈妈面前提这件事，要不然她又要担心的，你还记得小斯洛克莫顿的事儿吗？”

“当然记得了！这怎么会忘！唉，小斯洛克莫顿是妈妈最喜欢的兔子，他就是被一辆搬家车给撞死的，唉，可怜的斯洛克莫顿。”

“嗯，是的，从那天起，你妈妈就非常惧怕搬家车。所以你可千万别告诉她。”

兔爸爸严肃地说道。

当天晚上，新人家明天就来的消息就以迅雷不及掩耳之势在兔子坡传开了。

一整个夜晚，动物们都在讨论各种各样的猜测，小乔治家也不断有动物们来拜访。当兔妈妈知道新人家明天就要来了，她显得忧心忡忡，后来当她还听到“搬家车”这三个字后，不禁“哇”的一声大哭起来，伤心地哭了好久，并且边哭边对小乔治说：

“听好了，明天你不能出门，就待在家里，哪儿都不许去！”

阿纳达斯叔叔在一旁安慰道：

“你别这样，明天我也会去看看。我的年纪够大了，见过很多人，还见过很多猫啊狗的，如果还有连我都不知道的，我敢保证，这一片就没人能知道了，我一定会好好保护小乔治的，我向你保证。再说了，那条路上坑坑洼洼的，搬家车也开不快，别说是咱们兔子，就算是乌龟从搬家车前爬过，也不会被压扁的！”

“我不管，反正我明天是不会出门了，我哪儿都不去。”兔妈妈含着眼泪说道。

阿纳达斯叔叔听到了兔妈妈的这番话，悄悄戳了戳兔爸爸的背说：

“别相信她的话，哈哈，我最了解女人了，她明天一准和我们去看热闹！”

兔爸爸听到阿纳达斯叔叔的话哈哈大笑起来。明天新人家就要来了，大家都非常期待。

第七章

新人家终于来啦！

第二天一大早，天刚蒙蒙亮时，小动物们都起床了。他们纷纷从家中出来，隐藏在道路两边的草丛中、灌木丛中、月桂树丛中，眼睛睁得大大的，随时留意着附近的风吹草动。

过了一会儿，兔爸爸将耳朵贴在地上，他听到了汽车发动机的嘈杂声。

“车来了，大家注意！”

他提醒大家道。

果不其然，搬家车队出现了。那车子摇摇晃晃地在道路上缓慢行驶着，司机注视着前方，他完全没留意到道路两旁有几十双闪闪发亮的眼睛正盯着他，他的一举一动都

OA-11

在他们的注视下。

正如阿纳达斯叔叔所言，那搬家车在这坑坑洼洼的路上，开得非常缓慢。

小动物们藏在草丛中跟着这慢吞吞的车一步一步地向前走。等搬家车停下来休息时，就连胆小的兔妈妈也勇敢地走出家门，来到了兔爸爸的身边，她一只手还紧紧地抓住小乔治，防止他到处乱跑。

没过多久，搬家车队就来到了大房子前，然后人们下车将车上的东西从搬家车上卸下来。动物们在一旁看着，非常感兴趣。

“咱们可以通过他们的这些私人财物，来判断新人家的性格。”

阿纳达斯叔叔悄悄地对小乔治说道。

“你们看，他们的家具看起来质量非常好！”兔爸爸看到搬家车上有几件老红木家具时称赞道，“一看就是非常有品位的人家，我可好久没见到过这么高品质的家具了！”

“嘿嘿，大飞快看！”灰狐狸戳了戳身边的黄鼠狼大飞，“你快看，看那边，那边！”

“看到了，看到了，那是个老式垃圾桶，没有盖子！啊，真是户好人家啊！”大飞高兴地发出了感叹，“那垃圾桶就放在车库后面，葡萄架的下面。太好了，以后我就可以吃到美味的食物和甜甜的葡萄了！”

阿纳达斯叔叔是只非常有经验的兔子，他观察的也很仔细。

那些被搬进工具房的工具都逃不过阿纳达斯叔叔的法眼。

“暂时没有看到枪支弹药和捕兽夹。”他悄声对兔妈妈说道，“不过也不能麻痹大意，你看那些瓶瓶罐罐，也不知道里面装的什么，或许是毒药！”

兔妈妈被阿纳达斯叔叔的话吓坏了，死死地盯着那些瓶瓶罐罐。

“小乔治，别靠近它们！”

“我知道的，妈妈！”

小乔治回答道。

不止小动物们对新人家充满兴趣，就连人也跑过来凑热闹。

这不，泥工和蒂姆也趁着机会，在房子附近溜达。

“看来，新人家还不错！”

泥工说道。

“是的，各种东西一应俱全！”蒂姆附和道，“可就是书太多了，你看，那些书简直快把搬家车都压垮了。我觉得不好。我爷爷一直说：‘读书读书，越读越猪！’我觉得这句话简直就是真理，你看那些读书多的人，都是古里古怪的。”

“是吗？我可没听说过还有这种讲法。我以前认识过一个人，他读了很多书，不过人还挺好的，可惜前几年去世了。”

那泥工说道。

这时，搬家车已经将所有的物品都卸下来了，然后司机启动车辆，准备原路返回。

小动物们目送着搬家车离开，但显然他们不想离开。原来，他们还想等待新人家的到来。

他们等啊等，等到下午三四点钟时，大家都已饥肠辘辘的了，终于看到一辆小汽车出现在了车道上。

那辆老爷车上塞满了行李，小动物们顿时提起了精神，目不转睛地盯着老爷车上的人。

一个男人最先从车上走了下来，他抽着烟斗，看上去挺和善。

“太好了，是我喜欢的味道！”阿纳达斯叔叔非常满意地嗅了嗅空中的烟味，轻声对旁边的兔爸爸说，

“我最喜欢爱抽烟的人。你想一想，如果我们在田边打盹的时候，有个不爱抽烟的人从旁边走过，说不定都快

要踩到我们了，我们都不会知道；但是如果有个爱抽烟的人在附近，我们马上就能闻到烟味，立马就能觉察到有人会来，然后就会逃脱困境。你说对吗？这就是为什么我喜欢爱抽烟的人！嗯，这味道可真好闻！”

兔爸爸点头表示赞同。

“的确，爱抽烟的人更能引起我们兔子的注意！我们也会因此少很多麻烦。”

这时，兔爸爸看到一位女士从车上下来了，只见那女士手上提着一个大篮子。

“不知道那篮子里会是什么呢？”兔爸爸在心里暗道。其实，此时他已经有了一种不好的预感。

那女士掀开篮子，一只体形庞大的虎斑灰猫从里面跳了出来，顿时让兔爸爸倒吸了一口凉气，那些田鼠更是吓得抱成一团瑟瑟发抖。

只见那大猫从篮子里跳到地上后，伸了伸前腿又伸了伸后腿，之后优雅地在大房子前踱来踱去，慢慢地踱到门厅前，趴在地上为自己做清洁。

他用舌头舔了舔自己的脸，之后清洁自己的身体和四肢，将脚趾缝里都舔得干干净净。

做完这一套连贯的动作后，他就舒舒服服地躺在阳光下睡起大觉来。

躲在草丛中的小动物们观察着这只大猫的一切，看到大猫睡着后他们忐忑的心才稍微放下来。小田鼠们凑在一起窃窃私语，可能是在商量以后的对策，而本来就胆小的兔妈妈早就吓得晕了过去。总之，小动物们神情凝重，如临大敌。只有阿纳达斯叔叔，显得非常平静。

“阿纳达斯叔叔，您不害怕吗？”小乔治悄声问道。

阿纳达斯叔叔用那双炯炯有神的眼睛牢牢地盯着那只大猫，轻声对身边的动物们说：“大家别害怕，一只老猫而已！”

此话一出，动物们的内心稍微平静了一些，大家都疑惑不解地望着阿纳达斯叔叔。

“那只老猫老得不能再老了！你们没看到吗？他走路的时候姿势非常僵硬，而且他刚才打哈欠时，我看到他的牙齿几乎全都掉光了，只留下了满嘴的坏牙和圆圆的牙窟窿，毫无杀伤力。放心吧，他谁也伤害不了，不过就像只纸老虎，没什么可怕的。哈哈，总有一天我会走到他跟前，朝他那大圆脸狠狠地踢上一脚。”

小田鼠们听到了阿纳达斯叔叔这番话，吱吱吱地笑了起来，他们知道阿纳达斯叔叔见过不少世面，所以很相信他所说的话。

这时，那汽车发出了一阵奇怪的咔咔声，吸引了动物们的注意。大家都朝汽车看过去，只见有人从汽车上扔下来了三个大包裹之后，一个气色红润、身体结实的女人从车后门钻了出来，如果不出意料，她应该就是女主人了。

“嘿，苏甫妮，这里就是我们的新家了，怎么样？感觉如何，是不是很可爱？”

她的声音干脆利落，听上去非常高兴。不过那被称为苏甫妮的女人没有回答，她看上去有些将信将疑，之后她拖着两个鼓鼓囊囊的箱子朝厨房走去。

“哦，天哪，那是什么？你猜会不会是垃圾？会不会是垃圾？哇，天哪，我还从来没见过那么多、那么讲究的垃圾！你看那鸡翅膀、鸡骨头、火腿肉，看上去那么可口美味！哦，天哪……”

此时的大飞兴奋极了，他拼命地拍着兔爸爸的后背说道。

“嗯，真是不错，看来这户新人家很会做菜，而且他们还很了解我们动物的需求，真是难得的好人家，难能可贵啊！话说以前在蓝草村的时候……”

兔爸爸的话还没说完就被大飞打断了。

“别，别，你怎么又开始了，又要开始说你的蓝草村了！”

大飞经常听兔爸爸提起蓝草村，他的耳朵都快听起茧子了。

“嘘！别说话了！快留意看看他们有没有带毒药、猎枪、网子之类的玩意儿，还有，看看他们会不会挖陷阱。”

阿纳达斯叔叔在一旁提醒道。

“应该不会，我觉得这户人家很不错！”

大飞说道。

“大飞，就是新人家的那个垃圾桶把你吸引了，你甚至都会失去判断能力，小心，这可不是什么好事！”

阿纳达斯叔叔严肃地提醒道。

听见阿纳达斯叔叔这番话后，大伙都不说话了。

他们在草丛中静静地观察着，一件行李、两件行李、三件行李，直到新人家搬完了最后一件行李，他们仍然在观察着。太阳下山了，夕阳将那只老猫的影子拉得很长。可能肚子饿了，那老猫站起来伸了伸懒腰，然后迈着缓慢的步伐朝厨房走去。

“在这里待了一天，咱们也挺累的！”

兔爸爸说。

“可不是，天还没亮我们就来了，现在太阳都快下山了。我肚子也饿了。”

小乔治摸着瘪瘪的肚子说道。

“那咱们也回家吧！”

阿纳达斯叔叔说道。

听见阿纳达斯叔叔这样说，动物们也都一哄而散了，他们各回各家，还在路上讨论了今天发生的事。

从大家的表情可以看出来，小动物们对这户新人家很满意。

到目前为止，他们都没有看到毒药、猎枪、铺网等这一类致命的武器。而且这户新人家也没养狗，虽然养了只猫，但是阿纳达斯叔叔说那是一只老猫，不足为惧。小动物们悬了好久的心，这才放了下来。

傍晚时分，大房子里亮起了灯火，动物们看见了，觉得那里温馨极了。他们看见房子里的人们走来走去，还听见了厨房里发出的叮叮当当的响声，闻到空气中散发的燃烧核桃木的香味，真是让人心情舒畅。这沉寂许久的大房子终于又活过来了。

“大房子的那副景象真是让人愉悦啊！”

兔爸爸高兴地说道。

“别太大意了，小心为妙！”

兔妈妈忧心忡忡地在厨房里回应道。

兔爸爸听到兔妈妈的话，笑着朝小乔治挤了挤眼。兔妈妈心里不踏实，好不容易做好了饭。小乔治大口大口吃完晚饭后说道：

“我出去看看。”

“别去新人家那里，咱们还要多观察！”

兔妈妈叮嘱道。

但是，小乔治没听妈妈的话，悄悄靠近了那幢大房子。他听见客厅的壁炉里，燃烧的核桃木噼噼啪啪，空气中充满了香甜的气味。他觉得幸福极了，不禁高兴地哼唱起来：

新人家来啦，哦，天哪！
新人家来啦，哦，天哪！

第八章

好人家？坏人家？

从这天之后，小动物们天不亮就起床，然后悄无声息地躲到高高的草丛中，观察这户新人家的一举一动，偷偷听新人家所讲的一言一语。

他们的这些行为，新人家当然是不知道的，但是那只老猫好像发现了他们。

“我前去探探那只老猫的底，看他是不是真的像阿纳达斯叔叔所说的那样，老得不行了。”

一天早上，兔爸爸邀上阿纳达斯叔叔前往新人家那儿，看看这只老猫到底有什么本事。

经过这段时间的打探，他们已经知道了那只老猫名叫木墩。

这天早上，木墩早早地就躺在了前门的台阶上，他懒洋洋地晒着太阳，打量着新家周围的一切。

兔爸爸看到木墩那副无精打采的样子，一下子跳着穿过草坪，来到了木墩跟前。

他们现在只有几步之遥，那只老猫如果身手矫捷的话，肯定会跳起来用爪子将兔爸爸的脸抓花。可那木墩只是扫了一眼兔爸爸，连站都没站起来，然后又若无其事地打量着周围。

“嘿嘿！”

兔爸爸见那老猫毫无反应，他笑了笑。

这时，阿纳达斯叔叔也按捺不住，从草丛中钻了出来，他也跳到了那老猫跟前，不过他还是没有像之前说的那样，要踢那老猫一脚。他抓了一把土，之后跑到木墩前面，朝他一把撒去，那土全撒在了那老猫的脸上。

那老猫若是稍有血性，断不会忍受这种侮辱，肯定会跳起来报复阿纳达斯叔叔，以泄胸中之愤。

可不曾想，那老猫只是晃了晃脑袋，抖掉了脸上的土，然后打了个哈欠，伸了伸懒腰后，旁若无人地睡起了懒觉。

“这家伙，果然不出所料，哈哈，老掉牙了，动也不想动！”

阿纳达斯叔叔不屑一顾地说道。

而这只老猫的反应也让田鼠威利和他的七个表兄弟信心十足，他们几只田鼠围成一圈，一边嘲笑着木墩，一边朝木墩做鬼脸，他们跳来跳去，唱着一首不成调的歌：

老木墩、老木墩
你是一个胆小鬼
呸、呸、呸

听见田鼠们唱的这首歌，那老木墩仍旧没有想起来的意思，他只是觉得田鼠们实在吵得不行，打扰他睡觉，于是他用一只爪子捂住了耳朵之后继续呼呼大睡。

“这家伙，看这个样子一点杀伤力都没有，连田鼠都奈何不得！”

阿纳达斯叔叔嘟囔道。

“这只老猫的确没有任何威胁，这下我们都能放心了！不过谁能知道他的主人会是怎样的人呢？但愿他能是一个真正的绅士！”

兔爸爸若有所思地说道。

“咱们找个机会来试探一下吧！”

阿纳达斯叔叔提议道。

一直到傍晚时分，这个机会终于出现了。

原来，那户新人家的男主人开车带着女主人出门了。兔爸爸和阿纳达斯叔叔商量了一个计策，于是他们和几个朋友躲在道路两旁，等待男主人和女主人回家。

等了好一会儿，男主人的车辆终于出现了，车子缓缓地在道路上行驶着，他们快要回家了。这时，兔爸爸突然从草丛中跳了出来，直接跳到了那辆车前，眼看车子就要撞到兔爸爸了，兔爸爸仍旧没有跳开的意思。

正在这千钧一发的时刻，那男主人突然猛地刹车，这才将车完全停下来。

兔爸爸怔怔地看着车上的人，只见那男主人和女主人同时举起帽子，异口同声地和兔爸爸打着招呼：

“晚上好啊，兔子先生。让你受惊了！”

说完，看着兔爸爸跳到草丛中后，他们才缓缓地启动车辆。

看着车辆远去之后，兔爸爸高兴地对阿纳达斯叔叔说：

“看啊，多好的人家！多么有礼貌，这才是真正的绅士，一看就拥有良好的教养！”

之后他又转头对那些朋友说道：

“在这里生活了这么久，这里也是我的第二故乡，我并不想恶意诋毁谁，但是这里人们的言行举止，说实话，真是比不上我的故乡蓝草村的人们，不过我不得不承认的就是，这户新人家的行为举止倒是和蓝草村的那些人一样，都是那么友善，那么亲切。我以前在蓝草村的时候……”

“停停停，又是蓝草村！又来了！”

大飞哼了一声之后说道：

“我对蓝草村的那些人一点兴趣都没有，别总是蓝草村、蓝草村的了，现在我最感兴趣的就是这户新人家的垃圾了！”

“垃圾，你就只对垃圾感兴趣！”

兔爸爸对于大飞打断他的话，有些生气，不过他冷静了一会儿继续说道：

“大飞，你会找到好垃圾的，要知道，有教养的人都会有好垃圾！”

正在他们热烈讨论的时候，突然闻到了一股烟味，看来是男主人走过来了。

只见那男主人手里拿着一块钉了木桩的木板，另外还有一把铁锹、一把榔头和一些其他的工具，正沿着车道走来。

“他要干吗？”

兔爸爸小声地问阿纳达斯叔叔。

“看样子要钉什么，嘘，咱们先看看。”

阿纳达斯叔叔若有所思地说道。

只见男主人拿着那一堆东西在车道入口的地方停了下来，然后将那块指示牌钉进了土里，看了看后就离开了。

小动物们对那块指示牌非常感兴趣，看着男主人走远了，他们也悄悄来到指示牌这儿。

“小乔治，上面写的什么？该死，我又把眼镜落在家里了！”

阿纳达斯叔叔对小乔治说道。

小乔治知道阿纳达斯叔叔不识字，也不想拆穿他，那样太没礼貌了。于是小乔治乖乖地念道：“请小心驾驶，有动物出没！”

“哎呀，真是个难得的大好人啊！”阿纳达斯叔叔听到后连连称赞，“果然非常善良！‘请小心驾驶，有动物出没！’啊哈，你妈妈要是知道新人家这么和善，肯定会高兴坏了的！”

太阳下山了，他们各自回了家，将今天的所见所闻告诉了家人和朋友们。

很快，新人家的善举就在动物们中间传开了，看样子新人家达到了动物们对“好人”的定义，要知道他们的标准非常高，一般人可真是达不到的！

于是，只要有闲暇时间，动物们就会聚在一起，谈论新人家的种种举动。

灰狐狸说起新人家来也是赞不绝口：

“这新人家真是太友善了，又通情达理、善解人意、见多识广。”

“你们知道吗，昨天傍晚，我闻到了空气中飘来的炸鸡的味道，然后到处寻找这味道的来源，之后穿过了那个小菜园，就是那个放长凳子的地方。你们猜发生了什么？”

“我看到那个男主人正坐在那长凳上，也许是因为他没有抽烟，所以当我发现他的时候，他就在我身边了，我俩就这样面对面了。他正在看书，抬起头发现了我之后，什么都没做，连站都没站起来驱赶我，只是坐在那里就那样看着我。我当时吓坏了，腿都差点失去了知觉，一动都不敢动。我也站在那里看着他，我俩就这样大眼瞪小眼对视了好一会儿。之后你们猜怎么着？”

“那男主人居然对我说了句‘嘿，你好’。然后，他就继续看他的书了。看着他低下头，我才离开去找炸鸡去了。哦，想起来我真是激动极了，很难得的好人啊！真是难得！”

看得出来，灰狐狸对这位男主人非常满意。

听到了灰狐狸的话，波琪也嘟囔道：

“不仅仅是那位男主人很友善，那位女主人也非常好。”

“那天，我正在田地里闲逛，一个不小心就逛到了田地外面，突然有一条大狗发现了我，而且以最快的速度朝我冲了过来。虽然说我并不怕他，可是当时我处的位置不太好，对我非常不利，背后没有可以靠的地方。于是，我不得已站起身来，看看那条狗敢不敢和我单挑。”

“要知道，前几年我把他的鼻子上抓出了好几道伤痕，到现在都还有疤痕。所以那条狗一时也不敢靠我太近，只是在我身边打转，想要找到机会从后面攻击我，为了吓唬我，他不停地冲我狂吠。那位女主人正在菜园里劳动，她从里面冲了出来，手里还拿着甜瓜那么大的石头。等她看清楚了情况后，就挥动手臂，把大石头朝那条狗扔了过去，‘砰’的一声，正好就砸中了那狗的鼻子。哈哈，他旧伤还没好利索呢，现在又添了新伤，那条狗疼得嗷嗷直叫。你们都听到了吧，他叫得可真凄惨！”

“是的，我听到了那天那条狗的惨叫声。我那天正好要去看我女儿，所以路过了菜地，我听得真真切切，那绝对是痛苦的惨叫声！”

兔爸爸连忙说道。

“你们根本想象不到，她打走了那条狗后，就这样擦了擦手，然后平静地看着我。我当时也愣住了，她突然笑着对我说：‘小家伙，以后要小心一点！’说完之后，她就回到菜地里干活去了。说实话，我总是听兔爸爸说蓝草村的人很绅士，我没在蓝草村生活过，我也不知道什么是贵族，也不知道上流社会的那一套，但是看到那位女士之后，我可以很肯定地告诉大家，像那位女士一样扔石头的人，才是真正的淑女！”

“的确，那女士真是个真正的淑女！”

兔爸爸也附和道。

总之，动物们对新人家的好感与日俱增。

有一天，新人家请卢克来砌墙，那面墙就砌在土拨鼠波琪的家上面。当卢克就要砌到波琪家的洞口时，那位男主人对卢克说：

“卢先生，咱们别砌了。我看到有只土拨鼠就住在那里面，我们实在不应该打扰他。”

“啊?!”听到男主人的话，卢克惊叫起来，“先生，你绝对不能让土拨鼠住在这里，他会把你整个菜园都破坏掉的。要知道那些家伙特别坏，我还准备明天拿猎枪来打死他呢！”

“不不不，你绝对不能这么做！”

男主人坚决反对道。

“如果你不喜欢人用猎枪，我也可以设个陷阱！”

卢克继续提议道。

“不行，陷阱也不能设！”

女主人听到后极力反对。

听到他们二人都极力反对杀死土拨鼠，卢克实在不明白，他觉得他们简直就是莫名其妙。

于是他只得说道：

“反正这是你们的菜园，你们自己做主吧。不过这砌的新墙中，留了一大块要倒的旧墙，感觉挺奇怪的。”

“没关系，这不是什么大问题！”

男主人笑着说道。

这时，蒂姆走了过来，看见卢克还在挠头，一副百思不得其解的样子。

看到蒂姆之后，卢克马上将刚才发生的事对他说了一遍。

蒂姆听完后，说道：

“我早就告诉过你，书读得多的人往往都有点神经兮兮的。你看看那些人，的确很亲切很友善，可就是觉得有些古里古怪的。昨天我也是提醒他们，要来除掉这附近的土拨鼠，要不然这附近的菜园都会被他们糟蹋干净。我还说能帮助他们来设陷阱，让那些该死的土拨鼠自投罗网，那女主人的反应也是像你说的那样。后来我又建议可以用毒药来毒死他们，那个男主人马上说：‘千万不能投毒药。’他们的反应真是太奇怪了。”

“于是，我就问他们：‘如果土拨鼠在草坪上到处打洞，那如何才能整出一块像样的草坪呢？’那男主人回答说：‘没关系，只要不停地翻草皮，时间久了，他们自己都会泄气的。’卢克，你听说过这种说法吗？真是太好笑了，他说土拨鼠自己会泄气！后来那男主人说他在书上看到过这种说法。”

“简直就是莫名其妙！”

卢克有些生气地说道。

“今天早上，我告诉他们，他们需要在菜园周围建一圈篱笆，如果没有篱笆，整个菜园都会毁掉。你想想啊，咱们这附近多少动物啊，兔子、土拨鼠、棕熊、鹿等等，整个山坡都是动物。不建篱笆的话，后果会不堪设想。你能想到那女主人听完我的话后，说了什么吗？”

“这我可想象不出来！”

卢克回答道。

“你肯定想不出来。”蒂姆说，“那女主人说：‘我们喜欢那些动物，他们多可爱啊！’可爱？你听说过吗，那些动物可爱?！我怎么觉得他们实在讨厌至极！之后，那女主人说：‘那些动物肯定也是饿了！’”

“然后呢，你怎么说?”

卢克好奇地问道。

“我说：‘夫人，你说得没错，他们肯定是饿了，才会到菜园里找吃的。等到植物都长出来，你们颗粒无收的时候，你就不会这么说了。’”

“你说得没错！”

卢克赞同道。

“可那男主人听了我们的谈话后，说道：‘我相信我们能和动物们和平相处的，而且大家都能吃饱。这就是为什么我要扩大菜园的面积，这样都能养活大家。’你听听，还有这样的说法。简直就是呆子。”

蒂姆气愤地说道。

“真是这样。”

卢克说道。

“唉，真是可惜啊，这新人家又亲切又和善，可惜有些古里古怪的。我看人们准会认为他们就像疯子一样。我看哪，这都是因为读书太多。我爷爷以前总是说：‘读书读书，越读越猪！’果然是这样的，这话听起来很糙，但理不糙啊，你看看他们这俩人就是典型。”

“他们可真的都是好人，真是太可惜了！”

卢克拿起了榔头，朝一块石头砸去。

说完，蒂姆就回家了，卢克还在地里干活。

他们这番话被动物们听见了，动物们倒是越发喜欢那户新人家了。

每天晚上，小田鼠威利都会被派去观察新人家。他们当然不是想要刺探新人家的隐私，只是对新人家要在菜地里种些什么很感兴趣，毕竟这关乎兔子坡上的每一个动物。

在新人家房子的客厅窗户旁有个收集雨水的水桶，田鼠威利一般会顺着那个水桶爬上去，之后再跳到窗台上。兔子坡的夜晚温度有点低，新人家会在客厅的壁炉里燃烧木头，那些木头燃烧得噼啪作响。为了保持房间空气良好，新人家一般会将窗户打开一个小缝，因此田鼠威利会躲在窗户的阴影里，悄无声息地仔细观察新人家，听他们谈论关于菜园的计划。

这天晚上，新人家全家人围在客厅里，手里拿着纸和笔，将所有他们要种的品种商量好后，写在了纸上。威利听见后，绞尽脑汁才将这些植物的品种记全，之后就飞速地跳下窗台，来到了兔子窝。

“小乔治，你快去把大家叫来，听听威利都获得了什么情报！”

兔爸爸吩咐道。

于是小乔治迅速地请来了动物们。大飞、红鹿、波琪等等都来了，他们坐在兔子窝的外面，聚精会神地听威利讲述刚才所听到的一切。

“我听到新人家讲，他们要种白萝卜、胡萝卜、豌豆、蚕豆、青豆、生菜……”

威利数着指头说道。

还没说完，兔妈妈高兴地打断了威利的话：

“太好了，兔爸爸，太好了，我们可以做豌豆生菜汤喝了！”

“还有，玉米、菠菜、大头菜、花菜……”

“都是些什么奇奇怪怪的菜呀！”

阿纳达斯叔叔嘟嘟囔囔道。

“阿纳达斯叔叔，嘘！”

兔妈妈害怕威利忘了还有什么品种，于是连忙阻止阿纳达斯叔叔。

“还有芹菜、茄子、黄瓜、土豆、番茄、辣椒、甜瓜、草莓。好了，就这么多了，可能还有些别的，不过我只能记得这么多了。”

威利说道。

大家听完了威利的汇报后，高兴极了，他们手舞足蹈，兴奋得就像要过年一样。

不过没高兴多久，他们中间又起了争论。原来听说了新人家要种这么多种类的蔬菜、水果后，他们开始争论究竟哪些家庭该得到什么蔬菜和水果。

看到大家争论不休，兔爸爸站了出来，说道：

“大家听我说，我们都非常明白，一般我们兔子坡解决这类问题是在分食物的那一晚，今年我们会在五月二十六号进行分食。到时候，我们像往常一样，会在菜园里秘密集合，之后按照每个动物的口味和每个家庭人口的多少来进行分配。所以现在不用再争论了，现在争论这些没有任何意义。”

看到德高望重的兔爸爸发话了，动物们也都停止了争论。

这时，阿纳达斯叔叔担心地问了一句：

“那么，我怎么办呢？我只是这段时间来你们家做客的。”

“阿纳达斯叔叔，你放心，作为我们家的客人，你当然也会分到应得的食物。”

兔爸爸说道。

“那就太好了，哇，期待那一天早日到来啊。”

阿纳达斯叔叔高兴地说。

一切都解决了，动物们都高兴地各自回家了。兔子坡又恢复了平静。

第九章
田鼠威利命悬一线

这天田鼠小威利又来到了新人家的窗台上，虽然他已经听到了要种的菜的品种，但他还是想要探听到更多有价值的信息。

听到新人家讨论完了种菜计划后，又开始讨论草籽的事儿。

只听得男主人说道：

“这本书中推荐了一些草籽，有三叶草、红顶草，还有一种蓝草。”

本来威利对草籽的事儿不太感兴趣，他只对那些蔬菜感兴趣，但他不经意间听到了“蓝草”这个词，还是振奋不已的。

“蓝草，蓝草，兔爸爸如果听到这个消息，肯定会高兴坏的。不行，我得赶紧回去告诉他这个好消息。”威利心想。

可能是太兴奋了，乐极生悲，威利犯了一个错误，差点让他命丧黄泉。

原来，窗台下面的那个雨水桶的旧木头桶盖上有好几个洞，本来威利一直都非常注意，小心翼翼地避开这些洞，哪知那天他从窗台上跳下来时，一不注意正好跳进了其中一个洞。

这时，威利吓坏了，他两只爪子在空中乱抓。但是爪子碰到了桶盖的腐烂的木头，谁知那木头太不牢靠，不一会儿，木屑全被抓掉了，最后威利掉进了冰冷的雨水桶中。

那水桶里的水非常寒冷。他拼命喘气，挣扎呼喊，可没过多久，他就沉了下去。

等到他第二次浮出水面时，他已经没有力气了，只能慢慢地游到水桶的边缘，想要抓住些东西好往上爬。可是水桶边缘尽是些苔藓，又湿又滑，而此时他的爪子已经冻僵了，什么都抓不住。

怎么办?

于是他只得再次呼喊救命，可是根本没有人过来救他。

“兔爸爸、鼹鼠、小乔治、大飞，你们都在哪里？快来救救我啊！”

威利绝望地喊道。

威利就快再次沉下去了。“这下可真的完蛋了！”威利心想。

可就在命悬一线的时候，威利隐约听到了一丝声音，接着看到一缕光从桶口射下来。

还没明白到底发生了什么，威利就因为体力不支失去了知觉，他昏了过去。

不知过了多久，威利才迷迷糊糊地醒了过来。他微微睁开眼睛，感觉自己身上还是湿漉漉的，全身还是冷得不由自主地发抖。

他摸了摸旁边的物体，软软的，很舒服，于是他就这样躺在那堆软东西上休息。

过了一会儿，等他稍微恢复一点后，他看到了不远处火焰在跳动着，很温暖。

他太累了，又闭上了眼睛。

“可怜的小家伙！”

这时，威利听见有一个人在说话，他连忙睁开眼睛。天哪，原来是新人家的男主人，只见男主人正蹲下身体仔细打量着小威利。

说实话，这么近距离地看到男主人还是很吓人的，他的脸那么大，就像噩梦中的巨人一样。

威利吓坏了，他连忙往软软的棉花里面钻，害怕看到男主人的脸。

这时，他闻到了空气中飘来香甜的牛奶味，他肚子也开始饿得咕咕直叫。他咽了咽口水，偷偷往外看，发现有人拿着一个滴管出现在他面前，滴管的一头正滴着乳白色的牛奶。

威利实在饿极了，他顾不上害怕，凑了过去舔了舔。哇，真是太好喝了。

那牛奶里肯定还加了一些别的东西，他吃了之后全身发热。

他不停地吮吸牛奶，直到将滴管里的牛奶全部喝完为止。喝完了牛奶后，威利慢慢恢复了力气，他觉得胃里满满的，热乎乎的，真是舒服啊。

不一会儿，他又睡着了。

兔子坡的动物们左等右等都没有等来威利，可把他们吓坏了，所有人都惊慌失措。

兔爸爸还组织了一队人马去寻找威利。他们到处搜查，到处打听，也没发现威利的踪影。

大飞在垃圾桶里翻找垃圾时听到了大家都在寻找威利的消息，他连忙告诉大家，他好像听到过威利的惨叫声，然后看到新人家的男主人拿着手电筒在水桶里忙乎了半天。至于这两者有没有关系他就不知道了。

听到大飞的这个情报后，威利的大表哥来到了新人家的房子这儿，然后爬上水桶，往里面看了看，水桶里除了有些水什么都没有。

于是他跳到窗台上，发现窗子被关得严严实实的，密不透风。之后他又爬到屋顶上，将耳朵贴在窗户上探听消息，可什么都没有听到。于是只得沮丧地向兔爸爸汇报了这一切。

“这可如何是好啊！看样子，小威利这一次是凶多吉少了。”

兔爸爸叹了口气，忧心忡忡地说道。

“哼，肯定是那一只该死的老猫！”阿纳达斯叔叔气愤地叫道，“那个家伙肯定是个阴险狡诈的东西，就是一个虚伪的恶棍，他故意装出一副童叟无欺、毫无危害的样子，把我们迷惑得团团转。唉，可怜的威利，肯定是被他害死了！”

“有可能是蒂姆害了他，你们也听到过，蒂姆总是说要来挖陷阱、投毒药，来害死我们这些动物。说不定，他早就在我们没注意的时候，偷偷说服了新人家，在一个我们不知道的地方挖了陷阱，投了毒。”

波琪分析道。

兔爸爸听到他们的分析没有说话。不过他还是不愿意就这么放弃对威利的寻找。

于是一整个晚上兔爸爸、阿纳达斯叔叔，还有小乔治寻找了兔子坡的每一个角落，每一个灌木丛，但还是一无所获。

找了一夜，天亮后，他们一行人才拖着疲惫的身体回到了家中。

“唉，可怜的威利，看来真是被害了！”

兔爸爸说道。

兔妈妈此时已经哭红了双眼，她一边不停地吸着鼻子，一边给他们准备热腾腾的早饭。

一家人都沉浸在悲痛中。

而最伤心的还是要数鼹鼠了，因为他们一直是最佳拍档。他的好伙伴，他的“眼睛”威利不在了，可他因为视力不好，根本不知道去哪里寻找威利。

“哦，我亲爱的朋友，你去哪里了啊？”

鼹鼠哭喊道。

“等着瞧吧，你们这些该死的人类，你们杀害了我的好朋友，我也让你们不得安宁。我会用我的办法让这里的植物长不出一片叶子，结不出一个果子！我要把那些植物连根拔起，然后踩烂它们。我还要将我所有的亲戚都叫过来，在这里到处挖洞，要把这个地方弄得乱七八糟，让这些该死的人类不得安宁，后悔莫及。哦，我亲爱的威利，我一定会为你报仇的！”

鼹鼠喃喃自语道。

说完后，他就像发疯了一样，钻进了新人家整整齐齐的草坪里，在草坪上打洞。

他忙了一整个晚上，兔子坡上的动物们都听到了他那沉闷的挖土声和嘟嘟囔囔声，看到了那草坪变得起起伏伏像波浪一样。

看到鼹鼠那样，没有动物们出来阻止和劝导，因为他们都明白鼹鼠的心情，也都为小威利的失踪难过。

当然兔子坡上发生的这一切威利是毫不知晓的，等到他再次从睡梦中醒过来时，天已经蒙蒙亮了。

房间里壁炉的余火在燃烧着，不过由于气温很低，房间还是有些冷。

威利从睡觉的盒子里爬了出来，慢慢靠近壁炉想获得一点温暖。他全身有些僵硬，肌肉酸胀，走起路来摇摇晃晃的，不过还是要比昨晚好多了，算是从死亡线上捡回了一条小命。

他来到壁炉旁，靠着微暖的红砖取了会儿暖，伸了伸懒腰，活动了活动手脚后，似乎又有精神了。

要是再喝点昨天的那种牛奶就好了，那味道可真是不错，威利心想。

不过还是得早点回家，不知道兔子坡上的动物没看到他会不会担心。

可是他到处找也没找到出去的路，窗户和门都关得严严实实。就在这时，他闻到了一股烟味，那个男主人的脚步声由远及近地传来，之后他又听到了那只老猫木墩走路的声音。

这可怎么办?

他吓坏了，拼命找地方躲藏，可是找了好久也没找到一个安全的地方。壁炉旁边是一个直达天花板的落地书架，他实在走投无路，于是跳到了第一排书架上，躲在了黑暗的角落里。

男主人走进客厅，第一件事就检查威利睡觉的那个盒子，发现里面什么都没有。

“咦，看样子是走了。”男主人说道，“我看他肯定是感觉好多了，所以回家了！”

女主人进来后没有说话，只是她看到那只老猫木墩轻轻地朝着书架走去。

此时威利也看到了那只老猫正朝他走来，他无路可退，只得弓着腰往角落里缩。那老猫越来越近，威利的心怦怦直跳。

那老猫的头那么大，他张大了嘴，还露出了雪白、尖利的牙齿，老猫眼睛死死地盯着威利，威利已经吓得全身发抖了。只见那老猫的嘴越张越大，威利甚至都能感觉到从老猫嘴里发出的热气。

“阿嚏！”那老猫打了一个喷嚏，口水都喷到了威利身上。

“那个小家伙在那里。”只听那女主人对男主人说道，“木墩发现了他，就在书架那儿。木墩，你快过来，到我这里来，那个小家伙已经够可怜的了，别去打扰他，让他走吧。”

那老猫听到女主人的吩咐，于是朝女主人走去，之后跳到女主人的腿上打起瞌睡来。

男主人轻轻地走到门口，打开了大门，然后又回来坐在了沙发上。

威利过了好一会儿才缓过神来，他深吸一口气，恐慌的心情也慢慢平复了下来。

他鼓起勇气一小步一小步地往前挪，看到没有发生什么，他稍微放心了一点。

然后威利紧贴着墙壁，绕着房间走了一圈，中途路过家具时，他会在里面躲一会儿，探测到没有危险后，他又继续向着目标前进。快到门口了，他使出了所有的力气朝门口奔去。

离开之前，他回过头来看了看。

只见女主人还是安详地坐在那里，她慢慢抚摸着木墩的下巴，木墩也在舒舒服服地打着盹，男主人则在一旁咕噜咕噜地吸着烟斗。

威利离开了新人家的家里，他健步如飞，跨过台阶。太好了，捡回了一条小命，这让威利激动不已。

这时，他看到了新人家的草坪，这景象让他止住了脚步。前院本来整整齐齐的草坪，如今到处都是一道道、一圈圈的田垄，纵横交错，乱七八糟的，这一看就是鼹鼠的杰作。

这一带所有的草坪都成了现在这个鬼样子，简直不堪入目。

于是，田鼠威利跳进田地里，钻进了土里。

“鼹鼠，鼹鼠，我是威利。你在哪里？”威利的声音在地道里回响，“嘿，老伙计，我回来了，鼹鼠。”

此时的鼹鼠不知道正在哪里继续破坏田地，没有回答他。

蒂姆来到前院的草坪上，看到这一幕时，他简直气坏了，两只手叉着腰，打量着这被鼹鼠破坏的前院，他所有的辛苦全被这该死的鼹鼠破坏了，这怎么能让他不生气呢？他压抑着怒火，脖子以上全被气红了。

“先生，您看一下这前院，您看，我的劳动成果，全被这该死的鼹鼠破坏了。先生，我早就告诉过您，一定要小心鼹鼠，他们可不是什么可爱的动物。可您说不要伤害他们，不能设陷阱，不能投毒药，不能用猎枪，不能用捕网。这下可好，您看看，这整整齐齐的前院就这样被破坏得惨不忍睹。哎呀！”

蒂姆气急败坏地吼叫道。

看到蒂姆这样生气，男主人也深感抱歉，他抽着烟斗缓慢地说道：

“哎呀，这可真是一团糟，昨天还好好的，今天就成了这个样子。”

“可不是，如果早点除掉那些该死的鼹鼠，这一切都不会发生！”

蒂姆怒气未消，继续气愤地说。

“那怎么办呢？也没别的办法，看来，我们要重新将田地碾一遍了！”

男主人慢悠悠地说。

“什么？再重新碾一遍？不会吧？您说得可真是轻巧，重新碾一遍，重新碾一遍，哦，我的天哪，重新碾一遍又花时间又花精力，可真不是件轻松事。哦，老天爷啊，请赐予我力量吧！”

蒂姆沮丧地拖着沉重的步伐，去拿耙子还有碾土机，他一路边走边在嘟嘟囔囔。男主人抽着烟斗在一旁微笑地看着。

第十章

小乔治出事了！

随着时间一天天流逝，白天越来越长，小动物们的情绪也一天天高涨。

看着菜地里一排排整整齐齐的、绿油油的植物，小动物们简直每天都乐得合不拢嘴。

前院的草坪长满了翠绿的青草，整齐漂亮，就像一张绿色的地毯。

鼹鼠对于自己不分青红皂白就将草坪破坏得一塌糊涂的行为极为懊悔，事后威利还为这件事狠狠地批评了他，所以他严格要求自己要离草坪远些。

兔爸爸盼望着能早日吃到许久都没吃过的蓝草，因此每天晚上他都会去检查蓝草的生长情况，比新人家还要上心一些。

不过蓝草长得慢，估计今年产量不会太多，但是到了明年夏天就不一样了，一定会长出越来越多的蓝草。想到这些兔爸爸就心满意足。

波琪每天在家门口望着门前那片茂盛的荞麦田，有时候都不由自主地笑出声来。

不仅这些吃蔬菜的动物很高兴，连爱吃荤的大飞和灰狐狸也很高兴。

新人家养了很多小鸡，那些多得数不清的小鸡在养鸡场里跑来跑去，十分欢腾，他们每天叽叽喳喳地叫个不停。

每天黄昏时分，大飞和灰狐狸就会在养鸡场外面津津有味地观察着。

不过大飞倒是对这些活鸡不太感兴趣。

因为这家的女主人非常慷慨，他们每日的垃圾都让大飞心满意足。

大飞劝灰狐狸：

“你别总是盯着这些活鸡看了，我告诉你，新人家的垃圾那才叫一绝，比这些活鸡好吃多了！”

“怎么可能，那些哪会有新鲜的活鸡好吃！这是绝对不可能的！”

灰狐狸不屑一顾地说道。

“好吧好吧，今天晚上你等着，我给你带点好吃的过来。”

说完，大飞就离开了。

等他再次和灰狐狸见面时，特意给灰狐狸带来了女主人做的油炸鸡翅。

“你尝尝！”

大飞将鸡翅递给了灰狐狸。

灰狐狸不情不愿地说：

“这玩意儿有什么好吃的嘛！”

但是看到大飞那张热情的脸，他实在不好意思拒绝，只得拿过来尝了一尝。

吃完后灰狐狸也被这味道折服了：

“没想到啊，真是挺好吃的！”

所以从这天之后，他就经常和大飞一起在晚间翻找垃圾桶。

动物们每天都会巡视菜园。新人家在每一垄菜园的尽头钉了一个竹竿，上面挂着装种子的袋子。袋子的正面都被人一个个翻过来，上面画的精美的图案让小动物们连连称赞。

小乔治还会将上面的字念给阿纳达斯叔叔听，因为他总是将眼镜丢在了家里。

小动物们为了分食之夜做好了充分的准备，他们按照家庭成员的多少和口味的差异，写下了可以得到的那些食物。

终于等到了这一天，小动物们期盼已久，终于可以分食了。

这天晚上月亮格外皎洁，兔子坡的所有动物都汇聚在一起，提出了各自的分食要求。

由于大飞和灰狐狸不吃素，所以动物们就请他们来做裁判，动物们相信他们肯定能做出公正的决定。

以往他们分食的时候总是会产生很多争论，不过今年却大不相同。因为今年的菜园很大，食物非常充足，所有人都分到了自己满意的食物，就连最挑剔的动物对今年的分食也格外满意。

不过，这一次却出现了一个前所未有的问题。

因为田鼠威利和他的亲戚们非常感激新人家能将威利从雨水桶里救了出来，所以他们提出拨出菜地的一小部分供新人家使用。

兔妈妈听见后非常赞同，因为她对新人家做的车道指示牌很感动，她也认为应该给新人家留一些。

“不行，人类一直都不尊重我们的分食要求，我们也不能给他们特权，他们也应该和我们一样碰碰运气。”

土拨鼠波琪说道。

他的这一说法得到了很多动物的拥护，少数服从多数，所以田鼠威利的提议被否决了。

关于阿纳达斯叔叔的分食要求，有些动物也有一些想法，毕竟阿纳达斯叔叔不是兔子坡的常住人口，所以他们觉得阿纳达斯叔叔的分食要求很过分。

但由于兔爸爸是兔子坡上德高望重的人物，阿纳达斯叔叔又是他们家的客人，所以动物们没有公开提出反对，但背后还是在嘀嘀咕咕地说着闲言碎语。

虽然也有一点点不愉快，但这次分食大会总体来说还是非常顺利的，动物们都表示满意，这与以往的分食大相径庭。

分食大会快要结束了，兔爸爸做了最后的总结发言：

“我们非常幸运，能和这么有绅士风度、有良好教养、亲切又和蔼的新人家做邻居。”

“多年来我们都在盼望着这片菜地里能长出丰盛的食物，现在我们的愿望就快要达成了。我希望大家能牢记我们兔子坡的光荣传统，严格遵守兔子坡的规章制度。咱们每个人的份额仅仅供个人和家庭使用，若是有人想要企图侵害他人的财产，一经发现将会被逐出兔子坡。如果新人家在某块田地中采摘了过多的蔬菜，兔子坡救济委员会将会分配额外的地给当事人。”

“最后也是最重要的一点，在仲夏之夜到来之前，千万不能采摘食物，我们已经从过去的经验中积累了大量这样的教训，过早的伤害植物最终将会颗粒无收，只有等到庄稼成熟后我们才会有充足的食物。”

“我希望大家能发扬咱们兔子坡居民的自制精神，牢记这一点，我可不希望看到有人破坏规则，最终被赶出兔子坡。还有这项禁令不仅适用于蔬菜，也适用于家禽，大飞和灰狐狸，这是提醒你们的。”

“你放心，我们有更美味的食物吃。灰狐狸，今晚有炸鸡吃，咱们走吧。好啦，现在我宣布，散会！”

大飞尖着嗓子说道。

动物们一哄而散，在回家的路上大家都快活极了，一群年幼的小动物还唱起了歌谣。

虽然从这一天到仲夏夜还要等上好长一段时间，不过看着这绿油油的庄稼地，他们都知道今年一定会丰收，所以动物们心中都充满了期盼。

家庭主妇们计划着要囤东西，还要腌制些食物，为冬天做好准备。

阿纳达斯叔叔还主动请缨，帮兔妈妈挖了一个新的储藏室。

小乔治则到十字路口的胖男人的商店里拿东西去了。

兔妈妈在家里规划着要储藏的食物。

一切都井然有序。

可就在这个时候，一声可怕的巨响划破了天空。

那汽车的刹车声，还有轮胎打滑的声音把小动物们吓得够呛。

之后沉默了一会儿，路上传来了一阵怒骂声，然后是引擎发动的声音，汽车又重新上路了。

“天啊，这是什么声音？莫非是小乔治被车撞了？”

兔妈妈说完这句话后就晕了过去。

兔爸爸和阿纳达斯叔叔顾不上照顾兔妈妈了，他们急匆匆地跑向车道附近。一路上他们听到了红鹿穿过灌木丛的声音，土拨鼠也喘着粗气吭哧吭哧地向车道跑去，小田鼠威利也叽叽叫着赶了过来。

小动物虽然很快，但是新人家比他们还快。

兔爸爸听到了新人家奔跑的声音，之后还看见他们手电筒的光。

动物们躲在灌木丛中，看到地上躺着一团一动不动的小东西。只见新人家弯下腰，仔细地检查了那小东西后，脱下了外套铺在地上，然后跪下来说道：

“好了，好了，别害怕！”

然后新人家温柔地用外套裹住了那个小东西。之后他们小心翼翼地捧着外套，迈着沉重的步伐朝家里走去。

“不知道是谁，太不小心了！”

只听见女主人生气地说道。

第十一章
有情有义的兔子坡

果然就是小乔治！

那被车撞倒的就是小乔治！

动物们得知这个消息后悲痛万分，这几天整个兔子坡都被悲伤笼罩。

要知道在所有的小动物中，小乔治是最讨人喜欢的。他乐观开朗、热情幽默，还充满了活力。小动物们都愿意和他一起玩耍，而年老的动物也能感受到他身上的活力，和他在一起仿佛也变得开心起来。

而对于父母而言，小乔治更是非常孝顺的孩子，他总是会积极配合父母的工作，忠实又可靠，是父母难得的小帮手。

他经常和兔爸爸一起出去寻找食物，他们在一起奔跑，好几次协力骗过了那些看似凶悍的笨狗。所以兔爸爸一想到小乔治可能已经被车撞死了，他就悲恸欲绝，整天待在房间里一动不动。

此时的兔妈妈更是痛苦万分，她眼泪都快流干了，最后病倒了，卧床不起。

于是他们早已嫁人的女儿带着三个年幼的孩子过来照顾他们。

他们的女儿榛子在厨艺上可根本比不上兔妈妈，手艺非常一般。她那三个孩子整天打打闹闹，一刻不得停歇，这一点让阿纳达斯叔叔非常恼火。本来小乔治被车撞了后，他的心情就非常糟糕，现在又被这几个小孩快吵疯了，所以他回家的次数越来越少，整天和大飞、波琪他们在一起度过悲伤的时光。

阿纳达斯叔叔和他们在一起的时候，总是在谈论小乔治。

“小乔治真是我见过的最好的孩子了！”

阿纳达斯叔叔悲伤地说。

“是啊，他跑得非常快。我们经常一起跑到附近的镇子上去，其实也不是要办什么事，就是觉得跑着好玩。他跑步简直就像个飞毛腿一样，有时候动物们还没吃完早饭他就已经跑完一趟回来了，那速度简直了得。我有时候问他，小乔治，你累不累呀？他总是说，一点都不累。说完就又跑远了。有时候我甚至都跟不上他，还得撒开了长腿才行。”

“他不仅跑得快，而且还是个跳远健将呢。那天他去接我，为了躲避猎犬的攻击，他跳过了死亡溪，之后他还将落脚点指给我看。你知道吗，他足足跳了 5 米多！真是厉害，从来没有兔子能跳得这么远。唉，我想以后也不会有哪只兔子能跳过死亡溪了！”

“小乔治还非常乐观，总是喜欢唱歌，和他在一起真是快活啊！”波琪也伤心地说道，“哎呀，老天爷真是太不公平了，那么好的孩子！”

“我看，都怪那辆该死的小轿车！哼，你们等着瞧，我一定要替小乔治报仇。哼，你们瞧好了，等到天一下雨，那条路上又湿又滑的时候，我就躲在转弯的地方，等那些车开过来之后，我就猛地跳到那车的前面，把他们吓一大跳，那时他们肯定会急刹车，轮胎又打滑，最终他们就会撞在那边的石头上。”

阿纳达斯叔叔义愤填膺地说道。

“你这方法挺不错，计划也很周全！”

红鹿在一旁称赞道。

“唉，年轻的时候，我一不高兴就会这么干，在我家乡我用这种方法毁坏了四辆车，其中有三辆都坏得很严重。不过，唉，我现在老了，你们看，手脚也不像年轻时候那样灵活。如果到时候用这种方法的话，恐怕那些人会抓住我的！”

阿纳达斯叔叔叹了口气说道。

听到阿纳达斯叔叔所说的，大家都难过极了，沉默了好久。

夕阳下，松树的影子盖住了整片兔子坡，夕阳的光芒还将荞麦田染成了金黄色。

“以前这个时候，小乔治总是会蹦蹦跳跳地朝我跑来，笑眯眯地和我打着招呼：‘你好啊，波琪先生。’他总是这样有礼貌，多好的孩子啊！总是称呼我先生先生的，唉，可惜了！”

波琪先生悲痛地说。

尽管周围的菜园里，植物们都发了芽，鲜嫩的豌豆也长出了美味的须，圆圆的卷心菜像一颗颗翠绿的珠宝，生脆的生菜也发了嫩芽，一切看起来都那么美好，可是动物们完全没有心思高兴。他们虽然看到这些本应欣喜若狂的，可是一想到小乔治的事，大家心里就像蒙上了一层灰，一点都高兴不起来。

仲夏夜即将到来，这本该让兔爸爸一家人都为之庆祝的，但此时他们家里死气沉沉。唉，那仲夏夜带给他们的只有痛苦。

他们本来准备在仲夏夜时在家开个派对，庆祝今年的大丰收。到时候邻居们都会来串门，然后兔妈妈将会准备她最拿手的野豌豆生菜汤来招待大家，他们还准备拿出珍藏多年的老酒来庆祝。大家一起唱唱歌、跳跳舞、玩玩游戏，那会是多么惬意啊，就像回到了从前最高兴的时光。

可是现在兔爸爸和阿纳达斯叔叔根本没心情来做这些。

本来准备再建个新储藏室来储存食物，但现在这个计划搁浅了，再说储藏室的柜子本来是准备让小乔治来做的。

兔妈妈一想到这些就悲伤不已，根本没心情来囤东西，腌制食物。她现在每天躺在躺椅上，看着墙上挂着的小乔治的照片度日。

傍晚时分，兔子窝里乱糟糟的。兔爸爸的女儿榛子在厨房里做饭，她将锅碗瓢盆丢得到处都是，而且还不停地自言自语；她那三个孩子依旧一刻不停地叽里呱啦争吵着。兔爸爸觉得简直太吵了，于是坐在屋外，阿纳达斯叔叔也在屋外打着盹。

正在这时，兔爸爸看到一群小动物急匆匆地从山坡上冲了下来。要是在平时，兔爸爸肯定会冲上去一探究竟，可他现在一点都不想动。

他坐在那儿静静地看着那些小动物，并且还听到了小田鼠威利兴奋的叫声。此外威利的那些表兄也在吱吱吱地喊叫着，后面还跟着大飞、波琪，他们一起朝着兔子窝这边奔过来。

只见威利奔在最前面，高声呼喊：

“我看见他了，我看见他了！”

他边大声呼喊，边朝兔子窝冲了过来，到达兔爸爸和阿纳达斯叔叔面前后，更激动地大叫道：

“我看见他了！阿纳达斯叔叔，快醒醒，我看见他了！兔爸爸，我看见他了，看见他了！”

后面赶过来的动物们也在一旁喊叫：

“看见了，看见了！”

场面一下子显得特别混乱，自从小乔治被车撞了并不知所终后，家里很少来这么多人。

那些田鼠叽叽喳喳地吵闹不已。兔爸爸看着吵闹的动物们不知所措，一言不发。

正在厨房洗碗的榛子听到动物们的喊叫后马上从厨房冲了出来，手都来不及擦干；她的三个孩子此时更是一发不可收拾地吵着、闹着。

兔妈妈也被这嘈杂的喊叫声惊到了，连忙从摇椅上站起来，踉踉跄跄地朝门外走去。

“榛子，让你那几个捣蛋鬼安静点！”阿纳达斯叔叔醒来后冲屋里吼了一嗓子。然后他站起身来，看着旁边还是不知所措的兔爸爸，着急地问田鼠威利：“怎么回事？”

动物们还在叽叽喳喳，你一言我一语，只见大飞跺了跺脚，大吼一声：

“安静！”

之后大飞竖起了毛茸茸的尾巴，恶狠狠地说：

“哼，谁再敢说一个字，我就……”

没等他说完，动物们马上安静了下来。要知道大飞也不是好惹的，谁要是把他惹恼了，他什么都干得出来。

“好了，威利，你来说！”

“是这样的！”威利刚才跑得太快了，所以气喘吁吁地说道，“那次不是因为那个桶盖不结实，我掉进了水里吗？所以今天我看到新人家换了一个桶盖，就想跳上去试试那个桶盖结不结实。还不错，是个新桶盖，非常结实牢固。然后我又一下子蹦到了窗台上。你们猜我在窗台上看到了什么？小乔治！没错，就是小乔治。”

听到这里，兔妈妈紧紧握住了兔爸爸的手，都握出了汗来。

只听威利继续说道：

“我看到小乔治正躺在那女主人的怀里，很舒服的样子。”

“那只该死的老猫木墩呢？”阿纳达斯叔叔打断威利，“他会不会伤害小乔治？”

“我看到了那只老猫，你们肯定想不到他在干什么？哈哈，他正在给小乔治洗脸呢！”

威利哈哈笑着说道。

“不会吧？”

“对啊，这怎么可能！”

动物们中爆发了一片质疑声，大家又争吵起来。

大飞看情况不对，又竖起了他的尾巴，低声吼叫。动物们马上都住嘴了。

“真的是那样的，我绝对没撒谎。那老猫真的在那里认认真真地给小乔治洗脸、洗耳朵、洗眼睛，根本没有伤害他。而且小乔治看起来也很享受。我看了好一会儿，刚开始我也不相信，总认为木墩会伤害小乔治，可我看了很久，他们相处得非常融洽，后来那老猫还给小乔治脖子后面挠痒痒呢！”

“可能那老猫看到小乔治脖子后面有跳蚤！”

阿纳达斯叔叔分析道。

“我看了好久，确定了情况后才回来的。因为我看你们一直闷闷不乐，想着你们肯定想知道这个消息，所以我就赶紧跑回来了！”

小威利说道。

“威利，好孩子，你看到小乔治，他看起来好不好呢？”

兔妈妈双目含泪地问道。

听到了兔妈妈的问话，威利顿了顿，犹豫了一会儿说道：

“他看起来很好，只是他的后腿不知道为什么绑着一根小木棒，就像用夹板包扎的样子。”

“那他还能走路吗？”

兔爸爸焦急地问道。

“我没看到他走路，他只是一直都躺在女主人的怀里。不过，他看起来倒是很舒服、很高兴。”

小威利说道。

“好的，我明白了。威利，好孩子，你真是又机灵又体贴。真是太感谢你了。我们还以为再也见不到小乔治了呢，你这个消息让我们太高兴了。唉，真不知道这些天我们是怎么过来的。只要知道小乔治还活着，我们就满意了。”

兔爸爸握着威利的手说道。

“您放心，我会再去观察的，一有新发现我会第一时间来通知你们。”

小威利认真地说道。

听到这个消息，小动物们都高兴极了，欢乐像潮水一样朝他们涌来。

很快这个好消息就在动物们中间传开了，大家虽然还心存疑惑，但知道小乔治至少还活着，就欣喜万分。那笼罩在兔子坡的乌云似乎一下子就散开了。

动物们都跑到兔子窝来向兔妈妈和兔爸爸道喜，虽然兔妈妈还是有些担心小乔治。自从得知小乔治出事后，她的眼睛就仿佛失去了光芒，但听说小乔治还在人世后，她的眼中终于有了些神采，有了些光亮。

动物们都热泪盈眶，大家一一抓住兔妈妈和兔爸爸的手向他们表达高兴之情。

“太好了，兔爸爸，唉，之前听说小乔治被车撞了，我的心情都非常糟糕，一想到小乔治和我在一起的时光，我就难过极了。但是听说小乔治还在人世，过得还不错，我简直高兴极了，真的，太好了！”

红鹿激动地对兔爸爸说道。

“是啊，我们都非常高兴。哦，小乔治是个好孩子，我们都希望他过得好。”

阿纳达斯叔叔也在一旁说道。

就连那个一向在社交场合都会害羞、不自在的老波琪都摇摇晃晃地来到兔妈妈跟前，笨拙地伸出满是泥土的爪子，对兔妈妈说道：

“哦，兔妈妈，我们真是太高兴了！”说完他就匆匆跑掉了。

兔爸爸和兔妈妈也被动物们的情绪所感染，眼睛里冒出了高兴与感动的泪光，兔妈妈更是幸福得泣不成声。这一天动物们在幸福和感动中度过了。

第十二章

阿纳达斯叔叔的疑虑

第二天一大早，那笼罩在兔子坡居民们心头上的乌云已经消散了。原本他们都是垂头丧气，个个无精打采的，但此时他们容光焕发，个个精神头十足。

兔爸爸一大早就拉着阿纳达斯叔叔着手建一个新的储藏室。

兔妈妈也起了个大早，开始快乐地忙着家务，她高兴地哼起了小乔治之前编的小曲儿。

这时，兔妈妈的女儿榛子过来说：

“妈妈，既然小乔治有下落了，我也该回家了，他们三个捣蛋鬼在这儿实在太吵了。”

“好的，孩子，这段时间谢谢你的照顾，要不是你，我们都不知道吃什么呢。”

兔妈妈很感激榛子这段时间的帮忙。

“那么，我今天就回去了，下一次，等到你们有需要我再过来。”

榛子笑着说道。

之后榛子又向兔爸爸和阿纳达斯叔叔告别，然后就带着她的三个捣蛋鬼回家去了。

还没等她们走多久，阿纳达斯叔叔就高兴地在家里欢呼起来：

“哎呀，终于走了，这段时间可把我吵死了，耳朵都快被他们吵聋了，现在终于清净了。”

兔爸爸和兔妈妈相互对视了一眼，笑了笑之后又去干活了。

就这样，日子一天天过去了，他们在盼望中也快将储藏室建好了，一切都进展顺利。唯一有些遗憾的是，从那天后田鼠威利就再也没看见过小乔治了。

威利每天晚上都会爬到新人家的窗台上，偷看里面的情况。

可是新人家在晚上的时候一般都会待在楼上的客厅里，楼下的客厅里几乎没人，不管动物们如何睁大眼睛、竖起耳朵，也看不到、听不到里面发生的事，更别提看到小乔治的踪影了。

“这可怎么办？我的小乔治现在到底怎样了？”

兔妈妈又开始担心起来。

“别担心，一定还在新人家那里。”

兔爸爸安慰道。

“你怎么知道？你看到了吗？”

兔妈妈不高兴地问道。

“我每天早上都在菜地里偷偷看新人家采摘蔬菜。那个女主人每天都会采摘一大篮新鲜的蔬菜，里面有胡萝卜、生菜叶子，还有新鲜的野豌豆。他们一家人哪能吃得了这么多，所以里面肯定也有小乔治的份。我猜小乔治不仅在那儿，而且他胃口还不错。”

兔爸爸分析道。

话虽如此，可是眼见为实，他们已经接连好几个星期没见到过小乔治了，所以心中还是十分忐忑的。

仲夏夜越来越近，可是还是没有一丁点小乔治的消息，兔爸爸、兔妈妈，还有阿纳达斯叔叔，也渐渐失去了耐心。本来应由小乔治来制作储藏室的架子，但不知道小乔治何时才能回家。

于是兔爸爸和阿纳达斯叔叔就笨手笨脚地做起架子来。哪知他们二人都不擅长木工手艺活儿，笨手笨脚地做了一会儿也是徒劳无功，再加上没有小乔治的消息，心中实在烦闷，也就越来越暴躁起来。

本来小乔治能轻而易举做好的架子，他们花了好几天，而且钉钉子的时候，被锤子砸了好几次手指，付出了很大的代价，这才将架子做完。这架子歪歪扭扭的，好像随时就会散架。

阿纳达斯叔叔也懒得再管了，他扔下锤子和别的工具后，跑去找波琪诉苦了。

他实在是受不了了，倒不是做储藏室的架子让他郁闷，最主要的还是好久没有小乔治的消息。他脑海里经常出现人类迫害小乔治的画面，这让他痛苦不已。

“波琪，我真的好担心小乔治！我一丁点都不相信那些新人家，他们怎么可能会那么好呢？我猜他们将小乔治留在那里只有一个目的，那就是拿他当作人质。他们这么做是在试图告诉我们，如果在仲夏夜我们偷走了任何蔬菜的话，他们就会来折磨小乔治，将会把他折磨致死。”

阿纳达斯叔叔大声对波琪说出了自己的担忧。

“是吗？会这样？”

波琪有些不相信。

“肯定是的，说不定他们现在就在折磨小乔治，想想都可怕呀。他们一定在折磨他、质问他、威胁他，试图让小乔治带着他们找到我们的窝。他们肯定会用毒药、猎枪、挖陷阱来杀害我们，将我们一网打尽。哦，天哪！你还记得威利说看到小乔治腿上绑着一个木板吗？那肯定也是某种刑具，他们已经在折磨小乔治了。还有那只讨厌的猫，装着很和善的样子给小乔治洗脸，真是虚伪又狡猾，下一次我碰到了他，我一定狠狠地朝他脸上踢上一脚！”阿纳达斯叔叔恨恨地说道。

阿纳达斯叔叔现在心中充满了怒气。当然，他的这一番言论把波琪吓得够呛，听得波琪浑身打哆嗦。

没过多久，阿纳达斯叔叔对新人家正在对小乔治施暴的言论就在兔子坡的所有动物中传开了，大家为此争论不休。

兔爸爸、兔妈妈，还有红鹿，绝对不相信新人家能做出这种残忍的事，灰狐狸和大飞也不相信，因为新人家经常会扔很多好吃的到垃圾桶里，他们觉得既然新人家这么慷慨，所以他们绝对是非常友善的人。

因此，他们拒绝相信新人家会做出这样邪恶的事。

但是兔子坡的大部分动物还是站在阿纳达斯叔叔的这一边，甚至关于新人家种种不利的言论也在兔子坡的动物们中间传开了。

有些动物说看到了新人家的客厅里大半夜亮起灯光，

新人家肯定是在夜晚严刑拷打小乔治；有的动物说听到了从新人家的房子里传来奇奇怪怪的声音；那只臭名远扬的撒谎大王负鼠趁乱来散布谣言，说是半夜里曾听到了小乔治惨叫的声音。

正因为这些不知真假的言论，让兔子坡的动物们分歧越来越大，所以他们没日没夜地争论，吵架也变得越来越频繁。

不仅如此，这段时间一直阴雨绵绵，乌云笼罩着兔子坡，寒冷的东北风呼呼地在兔子坡上横行。动物们的窝造得再好，那些阴冷的风和淋漓的雨也会渗透进去，所以他们的窝里都发霉了，屋顶也在漏水，一切都是那么不如意。

小动物们哪儿都去不了，因为哪儿都是湿漉漉的，十分阴冷，所以小动物们只得躲在家里抱在一起取暖。

尽管庄稼此时需要雨水滋润，这段时间的雨让植物们喝足了水，但小动物们实在不喜欢这样的天气，因此他们的心情非常糟糕。

可兔爸爸因为心中牵挂着小乔治，所以尽管下着淅淅沥沥的雨，他也每天冒着大雨，穿过烂泥地，前去兔子坡的每个角落打探小乔治的消息。

即便如此，他也没有探听到关于小乔治的任何消息。

每天晚上回家，兔爸爸都是一身泥，像个落汤鸡一样，非常狼狈，而且心情也十分糟糕，闷闷不乐的。

阿纳达斯叔叔也非常担心小乔治，他每天都蹲在炉火前，默默地抽着那刺鼻的烟斗，时不时会冒出几句不好的话，譬如“小乔治肯定被关进了黑笼子里了”“他们肯定又在折磨小乔治”“谁会相信那些人类，他们都非常邪恶”……

阿纳达斯叔叔的这些话让坐在一旁本就忧心忡忡的兔妈妈更加难受，他的每句话都像是往兔妈妈的心上扎上一根尖刺，让她痛苦不已。后来兔妈妈实在忍不住了，冲阿纳达斯叔叔吼叫道：

“你能别说了吗？”

兔妈妈很少会发这么大的脾气，这下把阿纳达斯叔叔也气坏了，他怒气冲冲地一跺脚，不顾外面下着大雨，离开了兔子坡，搬去和波琪一起居住。

自此，阿纳达斯叔叔更是毫无忌惮了，他俨然成了所有怀疑分子的头目，经常在兔子坡散布各种怀疑，在仇恨的情绪上火上添油。

和阿纳达斯叔叔一起住的波琪也感觉阿纳达斯叔叔有些奇怪，看起来神经兮兮的。

可更多的动物围绕在阿纳达斯叔叔的身边，轻信了阿纳达斯叔叔各种荒诞的怀疑，那些动物也越来越躁动起来。

“那些人类，我们早就该让他们尝尝苦果了。我认为，我们兔子坡那些旧有的规章制度早就该被推翻了！为什么非得等到仲夏夜才能采摘果实呢？我们现在应该即刻去破坏那些菜园和草坪，还有花坛。”

一个暴力分子激动地说道。

“是的，我们要为小乔治报仇，不能让人类小瞧了我们动物！另外，我建议，我们还要无情地杀害那些小鸡、小鸭，那些公鸡和母鸡也不能放过！”

另一个暴力分子握紧拳头，大声鼓舞道。

看着苗头不对，波琪连忙悄悄出门，找来了兔爸爸和红鹿。

看到兔爸爸和红鹿来了后，那些激动的动物马上向他们提出了刚才讨论的那些想法。兔爸爸和红鹿听完后根本没被他们的情绪感染。兔爸爸和红鹿保持冷静，和那些动物分析了当下的情况。

最后凭借着兔爸爸雄辩的口才和红鹿那绝对的威信，即将爆发的动乱才被扼杀在了萌芽中，小动物们也才同意继续遵守兔子坡的规章制度。

之后没多久，天空放晴了，天气一天比一天好，动物们的心情似乎也明亮了许多，这好天气似乎也缓解了动物们紧绷的神经和紧张的关系。

趁着好天气，卢克也在菜园的尽头忙碌起来。那个地方风景非常棒，有一个小小的弧形草坪，那草坪缓缓地与菜园相连，草坪旁有一棵巨大的松树，松树下有两个石头凳子，坐在那里乘凉非常舒服。所以夜晚时分，新人家的家人们总会聚集在那凳子附近乘凉。

卢克在那里做着什么，小动物们根本不明白，他们纷纷猜测，很快，怀疑头目阿纳达斯叔叔有了自己的见解。

“我知道了，他们肯定是在造地牢！”阿纳达斯叔叔大叫起来，“他们造这个地牢，肯定是准备将小乔治长期囚禁在这里。准是这样，一定没错，他们会造一个用钢筋铁条做成的牢门，然后将小乔治关进去。只要我们动了一下那些蔬菜，他们就会来折磨小乔治，用针扎他，不给他饭吃，说不定还会用滚烫的油来浇他。”

阿纳达斯叔叔这些耸人听闻的言论，让即将要平静的兔子坡又掀起了波澜。

动物们的心里充满了疑惑和不安，在这种慌乱的情绪中，仲夏夜也渐渐临近了。

一天，那个勤劳的庄稼汉蒂姆，用他的卡车运来了一个又长又重的木头集装箱，然后蒂姆、卢克、男主人，还有一些其他的帮手，齐心协力地将那木头集装箱从车上搬了下来，放在板车上，运到了松树底下的小草坪那儿，就是卢克一直在忙碌的地方。人类的这些举动，加深了小动物们不安的情绪。他们围在那木头箱子附近打探，想要弄清楚那里面到底是什么。

“我猜得没错的话，里面肯定是猎枪和毒药！”

阿纳达斯叔叔看到这个木头集装箱后，立刻发表了自己的意见。他造的这个新的谣言又迅速在动物们中间传播开来。

过了一会儿，人类拿来榔头，将木头集装箱撬开，然后他们不知道在干什么，忙得不可开交。一天、两天、三天，卢克马不停蹄，新人家里的人们也在进进出出的。他们这样忙了几天，终于在仲夏夜那天的下午忙完了所有的事。

之后女主人将一切都打扫得干干净净，把东西都整理得十分整齐。卢克用一张防水的帆布将这段时间他们忙碌的东西遮得严严实实。那东西看上去像一顶帐篷，动物们根本看不出里面是些什么东西。

阿纳达斯叔叔和波琪十分谨慎，他们站在安全距离里，皱着眉头研究着这被防水帆布遮盖的东西，思考着那东西到底是什么。

“我知道了，”阿纳达斯叔叔突然喊叫道，“肯定是个绞刑架！没错，准是个绞刑架！哎呀，我可怜的小乔治，他们要将你绞死了！”

说完，阿纳达斯叔叔就大哭起来。他这悲伤的情绪也感染了波琪，波琪在一旁安慰着阿纳达斯叔叔，过了一会儿自己也哭了起来。

第十三章
兔子坡的好日子

小动物们等了很久，太阳终于下山了，晚霞由金黄色慢慢褪变成了淡淡的青色，接着无数的小星星从空中探出头来，调皮地一闪一闪地眨着眼睛，一弯新月也高高地挂在了空中。

随着暮色渐浓，小动物们的兴致越来越高，整个兔子坡也热闹起来。他们轻轻地穿过草丛、灌木丛和树林，那轻柔的沙沙声和急匆匆的脚步声交融在一起，大家全都匆忙地朝菜园赶去。

的确，他们等了这么久的仲夏夜终于到来了，今天他们将欢聚一堂庆祝丰收。

新人家的家人们安静地坐在草坪边。在黑暗中，小动物们远远地看见男主人坐在白色的石头凳子上，大松树下很暗，他们只能看到男主人嘴里的烟斗一闪一闪地发出忽明忽暗的微光。

月光照在远处那帐篷似的防水帆布上，发出了幽暗的光芒。

不知道为什么，小动物们没去菜园，反而跨过了深深的草丛，穿过了浓密的灌木林，到了新人家所在的草坪附近，似乎有某种神秘的力量在吸引着他们。小动物们在草坪附近围成了一个圈，静静地等待着未知的事情。

被云朵遮盖的月光很昏暗，但一阵风吹过，将那云朵吹开，月光也越来越明亮起来，那个小小的草坪也被照得亮堂堂的，就像个闪亮的小舞台似的。

这时，他们才发现女主人也坐在石凳子上，她怀里正抱着那只老猫木墩。老木墩正闭着眼睛打着盹。周围安静极了，大家一言不发，小动物们甚至都能听到老猫木墩发出的呼噜声。

发现了老猫，这在小动物们中间引起了一阵骚动。

阿纳达斯叔叔突然从动物群中窜了出来，他的尖叫声打破了刚才的寂静，只见他眼睛瞪得圆圆的，耳朵也竖得老高，嘴里嘟囔道：

“该死的老猫，他在哪里？”

他嘶哑地叫着：

“该死的老猫，让我来对付他！我绝对不会让他们绞死小乔治的！”

小动物们你看看我，我看看你，大家都不知所措。

这时，兔妈妈从角落中跳了出来冲阿纳达斯叔叔说道：

“阿纳达斯叔叔，你别冲动，咱们先观察一下！”

可阿纳达斯叔叔根本不听，他从动物中跳了出来。

“快抓住他，快点抓住他！”

兔妈妈大声叫了起来。

动物们中间顿时一阵混乱。突然女主人的怀里出现了动静，只听见从她怀里传来了清晰的声音：

“妈妈！”

接着，那声音又一声声地大叫：“妈妈！妈妈！妈妈！妈妈……”

小乔治！

没错，这就是小乔治的声音。

紧接着，小乔治从女主人的怀里跳了出来，然后飞快地跑过草坪上的空地。

“妈妈，爸爸，是我啊，我是小乔治呀！你们看，我一切都好，你们看啊！”

只见小乔治在月光下的草坪上，跳跃着，奔跑着，欢唱着，他上蹿下跳，跑了一圈又一圈，还一下子跳过了阿纳达斯叔叔的头顶，之后翻了两个筋斗，又跳到了凳子上。然后小乔治还笑眯眯地朝着木墩先生的肚子踢了一脚。

小乔治这个举动让小动物们惊呆了，他居然敢踢老猫的肚子?!

可那老猫看似并不生气，只见他懒洋洋地抓住了小乔治的腰，然后两人快乐地玩起了摔跤游戏，最后两人纷纷地掉到了地上。

这让一旁的小动物们简直惊得目瞪口呆。

掉到地上的老猫毫不介意，慢慢爬起来之后，又吃力地爬到了凳子上，嘴里还发出了咕噜咕噜的声音，就像是老磨坊里的石磨发出的声音。

动物们此时也偷偷笑了起来，发出了欢乐的嗡嗡声。

这时，那男主人站起身来，朝着那防水帆布走去，动物们顿时安静下来，全神贯注地看着男主人的一举一动。

只见那男主人轻轻地松开了固定防水帆布的零件，然后一把掀开了帆布。

动物们被眼前的景象惊呆了，好几百只动物在那一瞬间都屏住了呼吸，之后又集体长长地吐了一口气。

鼹鼠眼睛不好，但他能感觉到身边动物们的情绪。他察觉出了大家的异常，急忙问小威利：

“老伙计，到底发生了什么？那是什么东西？好威利，快告诉我吧，求求你了！”

“哦，我亲爱的鼹鼠，哦，真是太漂亮了，鼹鼠，是他呀，就是他呀，是我们最爱的圣人先生！”

威利低声说道。

“什么？是我们的圣人先生？阿西尼的圣人先生？”

鼹鼠焦急地问道。

“的确，就是他，在很久很久以前，阿西尼的圣·弗朗西斯科先生提出来，要爱护和保护我们动物们。哦，亲爱的鼹鼠，你不知道他有多漂亮，他虽然是用石头做的，但是脸看起来特别慈祥，身上还穿着又旧又破的长袍，上面还打满了补丁。”

“哦，亲爱的圣人先生！”

鼹鼠激动地都快哭出声来了。

“圣人先生的脚边围满了动物们，当然那些动物都是用石头做的，有鼹鼠，对了，就是你，还有我，还有小鸟，那边还有波琪、兔爸爸和狐狸先生，就连又老又丑的癞蛤蟆都在那里。咱们的圣人先生伸出了双手，好像在给我们撒食物，又像是在给我们祝福。鼹鼠，你听见了吗，有水从他手里流了出来。那些水从圣人先生的手里流到了水池里。”

威利详细地解释道。

“嗯，我听到了水声，那池清水闻起来特别凉爽，肯定好喝极了。威利，还有呢？还有什么？快来做我的眼睛，告诉我吧，好威利！”

鼹鼠吸了吸鼻子，小声说道。

“没错，那水池里的水非常适合喝，且不说那水特别清澈，更重要的是，那水池特别浅，嘻嘻，就连小鸟都能到里面洗澡玩耍。还有还有，鼹鼠，你肯定想象不到，那个水池周围是又大又平的石头，就像一个大花边一样。哈哈，上面摆满了吃的，简直就像是参加宴会一般。哦，鼹鼠，那上面还刻了字呢！”

“什么字，威利，上面刻了什么字？”

鼹鼠着急地问道。

“等等，我看看，哦，天哪，上面写着‘人人能吃饱’，哦，我亲爱的鼹鼠，上面写着‘人人能吃饱’。没错，就是这几个字！”

威利激动地叫了起来。

“那真是太棒了！”

鼹鼠也非常激动。

“我看到那里有我们爱吃的谷子，还有小麦；新人家还准备了美味的蛋糕；那里的蔬菜、水果都非常新鲜，而且已经洗得干干净净了，上面没有沾上一点泥土；此外，还有三叶草，还有兔爸爸喜欢的蓝草，波琪喜欢的荞麦，松鼠们喜欢的坚果也非常多。哈哈，真是太棒了，新人家考虑得可真是周全。咱们快去吧，动物们已经开始吃了。”

小威利细致地向鼹鼠解说道。

“好好，咱们也快去加入到他们的队伍中！”

鼹鼠笑眯眯地说道。

威利带着鼹鼠，以及鼹鼠的表兄弟们迅速地跑到了水池那儿，快活地在那堆食物中打滚。

这时动物们也都一拥而上，那个经常抱有怀疑思想的阿纳达斯叔叔也冲了过来，开始大口大口地吃着三叶草和胡萝卜；波琪最爱吃荞麦，所以他马上冲到了荞麦跟前快活地吃了起来；红鹿舔着蛋糕上的盐粒，下巴上沾满了奶油，他吃了一会儿后又喝了点水池中清澈的水，真是快活极了。水池这儿响起了一阵持久的动物们咀嚼的声音。

而此时新人家的男、女主人则安静地坐在大松树底下的石凳子上，男主人的烟斗依然一闪一闪地发出一明一暗的亮光，女主人则抚摸着怀里木墩先生的下巴，木墩先生显得极为享受。

渐渐地，动物们的肚子都吃得圆鼓鼓的，威利还将腰

上的皮袋松开了两个洞眼，因为他毛茸茸的肚子已经被那些美味的食物撑得像个皮球了。

吃饱了之后，红鹿迈着缓慢但威严的步伐打算在菜园转一圈，他的家人——雌鹿和孩子们都跟在他后面。其他的动物看着随即也加入了红鹿的队伍：品尝了美味的烧鸡的大飞和狐狸也跟在了红鹿后面；之后是走路摇晃晃的波琪和阿纳达斯叔叔；然后跟过来的是兔爸爸和兔妈妈，还有夹在他们中间，搂着他们脖子的小乔治；漂亮的野鸡先生和他的太太、孩子们也跟在了后面；再然后是棕熊、负鼠、田鼠、松鼠……这一支大军非常雄伟，他们雄赳赳、气昂昂地围绕着菜地走了一圈，然后又回到了圣人先生的雕像这儿。这时，红鹿用低沉又稳重的声音开腔了：

“我们吃了新人家给的食物，尝了他们的盐，喝了他们的水，这一切大家觉得好不好？”

“非常好！”

“棒极了！”

动物们中全是正面的回应。

“既然如此！”红鹿听到动物们的回答后，他朝着菜园的方向甩了甩他那漂亮的头，说道，“那从现在开始，菜地将变成禁地，禁止再有动物到菜地里捣乱！有人反对吗？”说完他还用他那有力的蹄子敲了敲地面。

没人站出来反对，大家用沉默表示着赞同。

这时，阿纳达斯叔叔打破了这沉默，他问道：

“可是那些该死的毛毛虫怎么办？他们可不管这些规矩什么的。”

的确，阿纳达斯叔叔提的这个问题非常好，毛毛虫可不管这些，他们总是会在菜地里吃菜叶，吃果子，破坏菜园。

一向慢半拍的鼹鼠从地里钻了出来，然后伸出胳膊拍了拍地面，虽然他看不见阿纳达斯叔叔，但他能听出声音的大概方位，于是他凭着感觉，朝阿纳达斯叔叔所在的方向微笑着说道：

“这个大家不用担心，我和我的兄弟们会安排好时间，日夜在菜地里不停地巡逻，我们刚才都抓到了六条毛毛虫呢！”

“那简直再好不过了！”阿纳达斯笑着说道，“这下就再也没有什么可以担心的了！”

之后动物们又继续吃了起来，最后那些食物都被动物们吃得干干净净，什么都没剩下。吃得饱饱的动物们摸着圆鼓鼓的肚子慢慢地走下山坡，一一道过晚安后，回家睡觉去了。

兔妈妈今天特别高兴，首先是看到小乔治活蹦乱跳地出现在自己眼前，其次是新人家的这一系列行为打消了她所有的顾虑。她两只手里各提了一只小篮子，篮子里装满了野豌豆和生菜。

“明天咱们又能做野豌豆生菜汤喝了，哈哈，以后每天都能喝到了。”

和他们同行的阿纳达斯叔叔清了清嗓子，有些不好意思地说道：

“那个，如果客房没人住的话，我想还是回去住一阵，波琪挺不错的，就是他的窝太潮湿了，我实在是住不习惯，再说他煮的那些东西，哎呀，实在……”

“没问题的，阿纳达斯叔叔，你的房间还和你走的时候一样，我每天都在打扫！”

兔妈妈笑眯眯地打断了阿纳达斯叔叔的话。

看到一家人其乐融融，小乔治也非常高兴，他笑着在兔爸爸身边快乐地转圈，然后问道：

“爸爸，这附近有没有新的狗来到？”

“啊哈，山路那边来了两条猎犬，据说他们血统纯正，非常有能力，等你再休息一阵子后，咱们一起去试试他们！”

兔爸爸拍着小乔治的后背说道。

“爸爸，我已经好了，随时都可以去。”

说完，他高高地跳了起来，然后用后脚连续击地三下，对兔妈妈和兔爸爸，还有阿纳达斯叔叔叫道：“我现在好极了！”

之后夏天的每一个夜晚，在圣人先生的雕像前都摆满了各种各样的食物，每天早上，那些食物都被动物们吃得干干净净。而在晚上的时候，红鹿、大飞，还有其他的动物，都会在房子和菜地周围巡逻，以确保菜地不会被其他游手好闲之徒破坏。此外鼹鼠和他的兄弟们也尽职尽责地巡视，确保没有毛毛虫出来捣乱。

而兔妈妈和其他家庭主妇都忙着在囤东西、腌罐头，为冬天做准备。

那些小动物又重新开始聚会了，他们在一起尽情地玩耍、尽情地欢笑、尽情地狂欢。兔子坡的好日子又重新回来了！

勤劳的蒂姆觉得非常惊奇，他看着新人家的菜园，每一种蔬菜都长势喜人，他不解地对卢克说：

“卢克，你难道不觉得奇怪吗？你看，新人家的菜园一道篱笆都没有，也没有挖陷阱、投毒药，更没对那些该死的动物放一枪，他们什么都没做。可是，他们菜地里的那些蔬菜和水果长得多好，他们什么都没丢，地上连一个动物脚印都没有，甚至连毛毛虫都没看见。你再看看我，我什么都有，篱笆、陷阱、毒药、猎枪，我样样齐全，而且我还整夜整夜地拿着猎枪守在菜地里。可是，我的胡萝卜全被那些该死的动物偷走了，生菜、卷心菜也被动物们咬得乱七八糟的，番茄也被踩得稀巴烂，草坪上也到处都是动物们的脚印。”

“还真是挺奇怪的！”

卢克皱着眉头说道。

“你看，十字路口那个胖男人的商店里还养了一条猎狗呢，可是他的店子里，玉米还是被偷得一粒不剩，所有的蔬菜全部被动物们弄得乱七八糟的。你说，这新人家是不是运气太好了？”

蒂姆不解地说。

“那肯定，肯定是的，”卢克认真地说道，“除了用运气好能解释外，难道还有其他的可能吗？他们一定是走了狗屎运了！”